JN117763

「アジャンタ」マダムがつづるインド四方山話（よもやまばなし）

おいしい暮らし

南インド編

有沢小枝 著

教育評論社

装幀＝浅田　潤
挿画＝芝崎曜子

目次

第2章　変わりゆくインドの姿

第3章　地域の味を探して

第4章 インドを巡る――南インド編――

インド略図

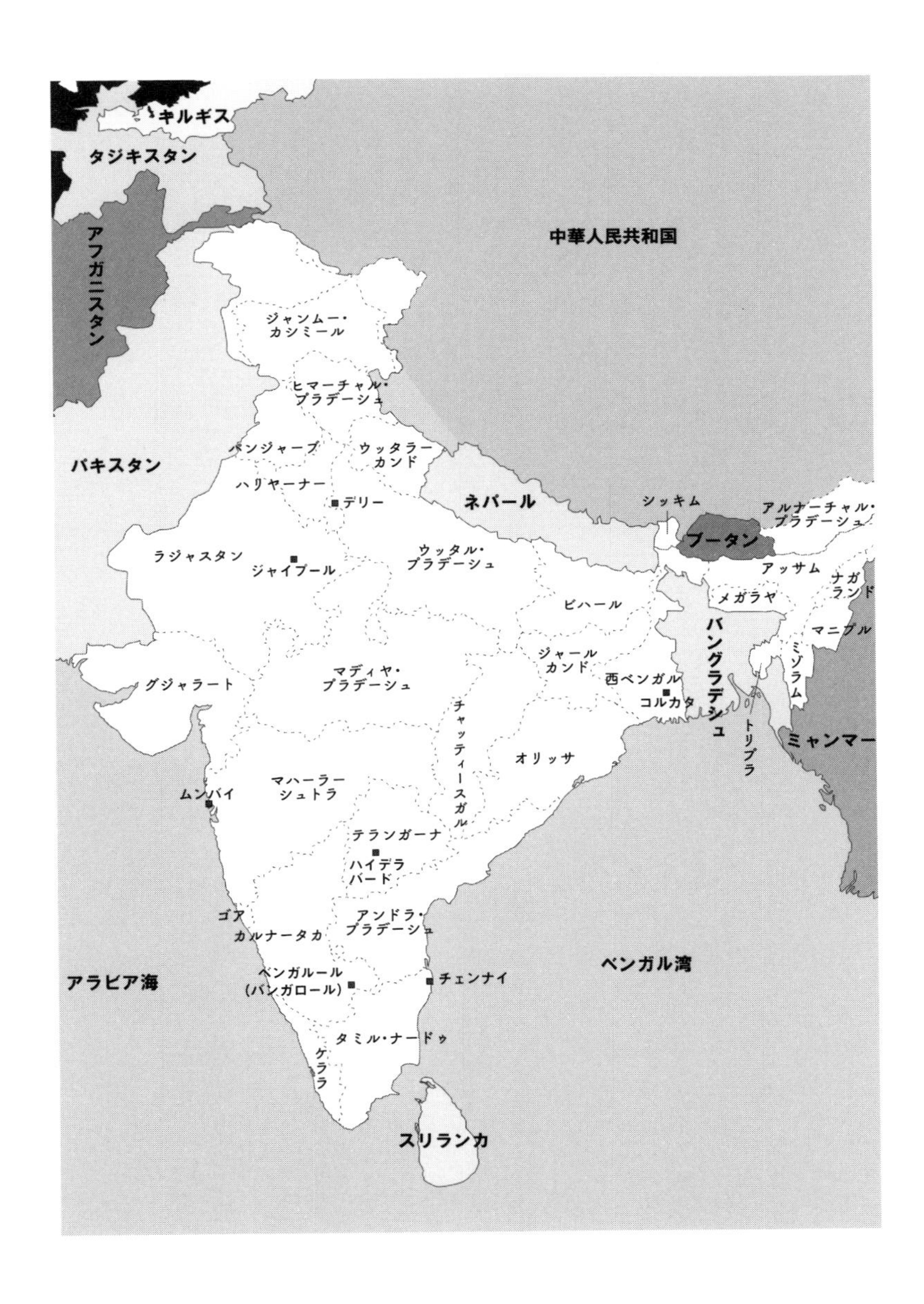

キルギス
タジキスタン
アフガニスタン
中華人民共和国
ジャンムー・カシミール
ヒマーチャル・プラデーシュ
パキスタン
パンジャーブ
ウッタラーカンド
ハリヤーナー
デリー
ネパール
シッキム
アルナーチャル・プラデーシュ
ブータン
ラジャスタン
ジャイプール
ウッタル・プラデーシュ
アッサム
ナガランド
メガラヤ
ビハール
バングラデシュ
マニプル
ジャールカンド
ミゾラム
西ベンガル
コルカタ
グジャラート
マディヤ・プラデーシュ
チャッティースガル
トリプラ
ミャンマー
オリッサ
マハーラーシュトラ
ムンバイ
テランガーナ
ハイデラバード
ゴア
アンドラ・プラデーシュ
カルナータカ
ベンガル湾
アラビア海
ベンガルール（バンガロール）
チェンナイ
タミル・ナードゥ
ケララ
スリランカ

プロローグ

「自分で選ぶのです」——どこに視点を置くのか。それが出来れば達観してインドを見つめることが出来る。インドという土地に足を踏み入れた時に、主人から言われた言葉だ。

私とインドとの関係は主人との出会いから始まる。主人は東京生まれの東京育ち。母親は日本人で父親がインド人。彼の父は南インドのアンドラ・プラデーシュの出身で、その当時の州都であるハイデラバードの大学を卒業し、義父の兄ラーマが住む東京の、東京工業大学に留学をするために来日した。

義父の兄弟達は、チェンナイに各自の家を建てアンドラから移り住み、近所に皆が集まって住んでいる。義父も東京に居ながらチェンナイに家を建て、兄妹の仲間入りをする。私達のインド訪問時は家のあるチェンナイをベースに動くことになる。

インドは多様な国で、多数の民族、言語、宗教が共存している。

「北インドと南インドは違いますか？　インドのどこが好きですか？」という漠然とした質問をよく受ける。なんと答えてよいのかと考えるが、日本人の私には人間性の違いはあまり良く分からない。だが北インドと南インドの気候の違いか、南インドの人達の方が明るいように思える。そして、はっきりと違うのは見た目かもしれない。

インダス文明を築いたとされるのは、南インドに多く住むドラヴィダ人だ。

だが紀元前1500年ごろ西北から侵入してきたアーリア人に、南に追いやられてしまう。そういうことで南インドを形成するのはドラヴィダ人なのだ。

見た目が違うというのは、ドラヴィダ人はアーリア系インド人より肌の色が黒く、背丈もアーリア系より低いが、手足は長い。アーリア系インド人は背が高く、肌の色もあまり黒くなく、顔の彫りは深い。

人種（インドアーリア族、ドラヴィダ族、モンゴロイド族等）が違うのだから言語も違う。そして同じドラヴィダ人でも州が違うと言葉も文字も違うという複雑さだ。隣の州と文字が違い、言葉も違うということは凄いことで、東京都と隣の神奈川県で、使用する文字と話す言葉が違うと思えば、これがどのぐらい凄いことか、わかるというものだ。

資料によるとインドには約30の言語、約1600の方言が今でも使われているという。そして憲法で定めた、連邦政府の公的共通語がヒンディー語と準公用語が英語。それに22の指定言語がある。南インドにある六つの州の言語は全て指定言語に指定されている。南インド人が誇ることの一つに、この言語があると強く感じる。

主人のチェンナイにいる友人達も、北インドの人達とはヒンディー語ではなく英語で押し通している。主人の弁護士も、デリーの仕事先に電話をするとまず言う言葉が「僕はヒンディーが上手くないので、英語でお願いね」である。

このインドという国は、東西南北の違いどころか地域での違いも多く、いろいろな面で私達日本人の常識では計れないことが山ほどある。同じ国のなかでも、民族による物の捉え方、考え方の違いがインド国内を旅すると肌で感じる。

例えば民族衣装のサリー。サリーも一目でどの地域のサリーなのかが分かるぐらい違うし、着方も違う。インドは広大な国土を持つので、気候も大きく違う。北のヒマラヤ周辺は寒冷気候、西北部のタール砂漠周辺は砂漠気候、中部・東部は温帯気候で南部は熱帯気候だ。ここまで気候が違えばおのずと料理に使うスパイス、材料、そして味付けも違うのだ。

日本人の常識にとらわれず、インドの空気の中に身をゆだね、自然体ですべてに目を向けると、何とも言えない慣習の違いや食の嗜好の違いなどがよほど楽しく思えてくるのだ。

尽きることのない興味が次々と湧いてくるインドという国に、私は魅せられ続けている。

第1章

加速する街・ムンバイ

インド四方山話1

ムンバイ①

ムンバイの上空に差し掛かった。飛行機の窓から下界を見る。

「去年より2階建ての家が増えたわね、それにパラボラアンテナも増えたわ。なんだか拡大しているようよ」と主人に言う。

「そう、人口が増えているのでしょう」と返される。

上空から眺めると良く分かるのだ、ムンバイにどれだけ広大なスラム街が点在しているかが。一箇所ではなく何箇所もあるスラム街。

10年前に初めてムンバイを上空から見た時の衝撃は忘れられない。そしてチャトラパティ・シヴァージー国際空港に着陸して再び衝撃を受けた。

「滑走路の脇、格納庫の隣にまでスラム街が浸透しているではないか！　安全上の問題はないのか？　ないわけがないのでは？」と自問自答したことをよく覚えている。

ムンバイはマハーラーシュトラ州の州都で１９９５年ボンベイからムンバイに改名した。英国統治からの脱却を目指した改名運動の一環だ。チェンナイも英国統治時代はマドラス、コルカタはカルカッタだった。

ムンバイの歴史は紀元前までさかのぼり、重要な港町として栄え、発展している。１５３４年グジャラート・スルターン朝からポルトガルがムンバイの地を譲り受ける。すでにゴアを統治しているポルトガルは、ムンバイの港を補助港として七つある島の一つに要塞を築き、キリスト教会を建て、ここをボンベイとした。１６６１年ポルトガルの王女が英国のチャールズ2世と結婚する時の持参金として、ボンベイを英国に委譲する。そして英国王家は、東インド会社に貸しつける。ムンバイは七つの島で成り立っていた。そこには漁民の暮らしがあった。それをポルトガル統治時代から英国統治時代を経て近代化が進み、19世紀には七つの島の埋め立てが完了し、鉄道が敷設され綿花などの輸出港として発展し、今に至る。

現在のムンバイはインド金融の中心地だ。繊維、金属、化学、自動車、各産業の中心地でもある。そしてインドの映画産業〝ボリウッド〟の本場だ。

どうしてスラム街が多いか。ムンバイは２０１１年の統計によると1㎢におよそ2万５０００人が住む世界でも人口密度の最も高い都市の一つなのだ。勿論インドの産業の中心地なのだから人口の流入は止まらない。ということでムンバイの人口の約60％の人がスラム街で生活しているのだ。上空から見るムンバイがそれを語っている。

現在のムンバイは建設ラッシュで、来るたびに高層ビルの数が増えている。高層ビルの数も増えるが、スラム街も広がるという矛盾を抱えるムンバイ。

経済格差も甚だしく、27階建ての高層ビルに住む４人家族が有名だ。高層ビル１棟に住んでいるのが一家族。ここで働く従業員は６００人。建物内には映画館、プール、図書館、１階には寺院まである。私達もビルの前でタクシードライバーから説明を受けるぐらいの観光名所になっていた——現在この家族は別の場所に住んでいる。

中流階級の数も年々増えている。家賃は高く、老朽化し修繕がすぐにでも必要なチョール（公的住宅）に住んでいる人達が非常に多く、問題になっている。知り合いも古い４階建てのアパートの１ＤＫに３人で住んでいる。いつかこの住宅事情も解消されるのだろうか。

次回はムンバイの見どころを紹介する。

インド四方山話2

ムンバイ②

ムンバイの街の魅力は、と尋ねられる。「種々雑多」と答える。ペルシャ、ポルトガル、英国、そして多くの宗教のそれぞれの色が濃く残る街。貿易港として発展を遂げた街。狭い土地にその全てを受け入れ、色々な物を詰め込み生きてきた街。

今のムンバイは四つの地域に分けることが出来るという。まず一つ目は、ムンバイを最初に統治したポルトガル人が入った地区で、インドでは少数派のキリスト教徒が多く住んでおり、教会建築もその名残になっている。二つ目は運河を挟んだ向こう側で英国が統治の中心とした地区。今もムンバイの中心地になっている。英国統治時代の建物が多く残されており、美しい街路樹も健在でコロニアル感満載の地区。遠目で見ると美しいのだが良く見るとほとんどの建物は激しく傷み、こんな建物に住んで大丈夫なのかと他人事ながら心配になる。

「なぜ修繕をしないのかしら」とガイドに聞くと「建物の持ち主は政府、教会、ロスチャイルド財閥だといわれており、安い賃料で貸すが、修繕などは一切せず、朽ちるのを待つのです。そして住めなくなれば当然借りている人は出て行くでしょう」と答える。そうすると何の問題も無く新しい建物を建てることが出来るそうだ。

三つ目はムスリムとユダヤの人達が共存している地域。通りを挟み、モスク（イスラム教の礼拝堂）とシナゴーグ（ユダヤ教の会堂）が向き合って建っている。意外に思うかもしれないが、インドにユダヤ人が来たのは古く、エルサレム神殿崩壊後の紀元約70年に、現在のケララ州マラバル海岸にたどり着いたといわれている。

そしてもう一つは点在するスラム街。生活に必要なインフラは無いが、通りには商店が並び、一つの街として成り立っている。「行政はこのような状態を黙認しているのか」と聞くと「立ち退きを強いているが中々うまくいかないようです」とガイドが言う。「飛行場の敷地内に入り込んでいるのは、立ち退きの補償金が高いからですよ」とも言う。

生活用水は川にそのまま流すので臭いが堪らないとムンバイの友人は言う。特に大雨の後などは大変なことになっているようだ。これもムンバイ。

ムンバイの魅力の一つに、英国の名残というか置き土産というのか、英国統治時代の大建築物がある。世界遺産にもなっているチャトラパティ・シヴァージー・ターミナス駅（旧ビクトリア駅）。ベネチアン・

ゴシック様式で建てられた１８５７年創設のムンバイ大学（旧ボンベイ大学）。インド・サラセン様式で建てられたチャトラパティ・シヴァージー・マハラジ・バストゥ・サングラハラヤ博物館（旧プリンス・オブ・ウェールズ博物館）は英国皇太子の渡印の記念に建てられ、非常に素晴らしい建築物で美しい庭園を有している。アラビア海に向かって建っている高さ26ｍ、サラセン様式の美しいインド門も忘れてはならない。海側から見ると壮麗な姿が一段と際立つ。

この街は、高層ビルが建ち並ぶ傍ら、スラム街が広がる。ストリートフードと呼ばれるムンバイ特有の屋台の食べ物は、今やニューヨークの人気の食べ物に。そしてインドのムービースターが稼ぐ金額は、ハリウッドスターを凌ぐほどだという。この掴みどころの無さがムンバイの魅力になっているのだ。

インド四方山話3

ムンバイのストリートフード

ストリートフードは屋台料理やスナックフードのことをいう。数年前からニューヨークを始めカナダのトロント、ロンドンなどでムンバイのストリートフードが人気になっている。もちろんインド国内でも流行りだしたようで、チェンナイにもムンバイのストリートフード専門店がある。

ムンバイに行くと必ず食べるものに、パニプリというスナックがある。ストリートフードの代表格だ。それを数年前タージマハルパレスのカフェで見つけた。

「パニプリがありますね！　食べましょう」と嬉しそうに主人が言う。

「パニプリって何？」

「屋台で売っているスナックですよ、僕は好きですが、あなたは屋台で食べるときっとお腹を壊すと思って食べなかったのです。でもこれからはここで食べられますね」

そうなのだ、私はインドに行くたびに一度はお腹を壊していた。もちろん今はめったなことでお腹の調子は悪くならないが、屋台には今でも近寄らない。きっと水がダメなのだと思う。

パニプリのプリはチャパティ（15㎝位）を3㎝から5㎝位の大きさで揚げたもので風船のように膨らんでいる。そして一箇所を割り、そこからタマネギ、キュウリなどのみじん切りを入れ、タマリンド（酸味

のあるマメ科の植物）水やミント水、クミン水などを注ぐ。パニはヒンディー語で水のことをさす。店によって中に入れる具材も違うしパニも違うので、皆それぞれ好みの味の店に行く。

「タマリンドチャツネを水で溶いているのね、酸味と甘みとスパイスと冷たさ、皮のパリパリ感がタマリンド水で崩されていく感覚も美味しさの一つね」

「クミン水にライムを搾って入れるのも僕は好きだよ」と主人。

屋台には色々な種類のスナックがある。プリを崩して皿にのせ、タマネギ、トマト、キュウリ、コリアンダーなどを細かく刻みプリの上にのせ、レモンを絞り、チリソース、甘みのあるソース、それをぐちゃぐちゃに手で混ぜ合わせ食べるものや、ドーサの生地をお好み焼きの様に具をのせて焼き、最後にチーズを思い切りのせて焼いたものなど、年々種類が増えているという。ムンバイの人達はチーズがとても好きなのだ。

私が好きなＰＡＶ（パオ）という名前のパンがムンバイにある。ハンバーガーのパンを四角の形にしたバターパンだ。バターを沢山練りこんで焼いたＰＡＶは特に美味しい。屋台ではスパイス入りマッシュポテトをまん丸にして揚げて、ＰＡＶに挟んだのが人気だ。サモサを潰して食べているとは私には驚きだったが。

ＰＡＶはポルトガル領だった時代のゴアの料理人が、ヤシの樹液からできたアルコールで生地を発酵させたパンから始まった。ストリートフードではないがパールスィーの人達が集うイラニ・カフェで、ＰＡＶとイランスタイルのコーヒーやチャイで、違う文化の香りを楽しみながら過ごすのも良いものだ。パールスィーとは紀元９００年ごろペルシャから移住してきたゾロアスター教（拝火教）の人達のことをいう。

２０１８年にムンバイを訪れた時に入ったストリートフードの店は、屋台だったが美味しくて人気が出て店を構えるまでになった。この店には「ボリウッドの超有名スター、サルマン・カーンも食べに来るよ」とムンバイの知人が誇らしげに言っていた。ストリートフードはムンバイを代表する料理になっている。

インド四方山話４

ムンバイの美味しい料理

インド人はインド料理しか食べないといわれていたのは昔の話。もちろん牛肉、豚肉を食べない人が大半だが、大都市では今までの慣習に縛られることも少なくなってきている。

インドの中でもムンバイは、世界中から人が集まりコスモポリタンな感覚の人が多い。また流行の最先端を走っている都市なので、世界各地の料理を食べることが可能で、スタイリッシュなカフェやレストランが街に溢れている。

２０１８年の1月にムンバイを訪れた時に、現代料理と中近東料理のレストランで食事をした。どちらのレストランもワインの品揃えから食器の美しさ、そして優雅な内装が素晴らしく、食事をする客の佇まいもまた素敵なのだ。

紹介するSOUK（ソーク）はタージマハルパレスの最上階にある、本格的な中近東料理と地中海料理が楽しめるレストラン。ラム肉、ブラックタイガーのタジンやケバブはもちろんのこと、フムス（ひよこ豆のペーストにレモン、タヒニという胡麻のペーストを加え混ぜ合わせたもの）など豊富なメニューが用意されている。

私達は鶏肉とイチジクのタジン、レンズ豆のスープ、フムスを注文した。鶏肉と少し乾燥させてあったイチジクのタジンは、イチジクの甘さと鶏肉の旨味がたっぷり出たコクのあるスープをクスクスにかけて

食べるのだが、ほっぺたが落ちそうなくらい美味しかった。

ムンバイで食べる中近東料理がどうしてこんなに美味しいのかというと、ムンバイはアラビア海を挟んでアラビア半島のオマーンと向き合っていて、太古の昔はペルシャなど中近東や、ギリシャなどの地中海の国々との交易関係が盛んだったことから、料理が美味しいのも当たり前なのだろう。

次に紹介したいムンバイのレストランは、元タージホテルズの総料理長が定年退職後に出した「ヘマント・オベロイ」で、自身の名前を冠したレストランだ。オベロイ氏は、シン首相の指名で海外同行したこともある世界的に有名なシェフだ。インド料理に限らず、ホテル内にある日本料理レストラン「わさび」、先ほどの「ＳＯＵＫ」、チャイニーズレストラン「ゴールデンドラゴン」などを責任ある立場で指導していたということもあり、「ヘマント・オベロイ」のメニューにはグローバルな料理が並んでいる。

今回の料理の中で特に素晴らしいと感じたのは「アスパラガスのスフレ」と「海老と蟹肉のミルフィーユ」だ。アスパラガスのスフレは口に入れるとアスパラガスの馥郁(ふくいく)とした香りが口の中に広がり、消えていく。後を引くように思わせる少しの物足りなさは、スフレに添えてある野菜のコンソメでボイルした太いアスパラガスを食べることで、100％の満足が得られる仕組みになっていた。

海老と蟹肉のミルフィーユは、天然の――冷凍とは違い甘味がある――ブラックタイガーと蟹肉を重ね合わせた料理。土台に蟹のクリームソースを敷き、ほうれん草のソテー、その上に海老のソテー、さらにサフランで調理した蟹肉、そして薄いパイ生地をのせ、再び蟹肉、頂上には海老のソテーという構成。ぷりぷりの海老は歯応えがよく噛むとジュワーと旨味が出てくる。たっぷりと使われた蟹肉と海老の甘さが、サフランの風味と相まって素晴らしい。贅沢で美味な一皿に、この上ない満足を味わう一皿だった。

インド四方山話5

映画「ホテル・ムンバイ」

インドから帰国した次の日、気になっていた映画「ホテル・ムンバイ」を日比谷TOHOシネマズに観に行く。この映画は、2008年にムンバイで起きた同時多発テロのターゲットの一つであったタージマハルホテルの従業員の姿を描いている。私がインドに行くようになったのは2007年で、初めてムンバイに行ったのが2009年。それから毎年自宅のあるチェンナイに行く前後に、ムンバイに数日立ち寄るようになった。

ムンバイの魅力は何度も書いているが、混沌としたエキゾチックな匂いを醸している街。世界中のお金持ちが集まっている街。ごみごみしてスペースがなく全てが密集している街。道の両脇にモスクとシナゴーグが向き合っている街。スラムが年々広がり飛行場の周りもスラム街。全人口の約6割がスラムで生活をしている街。かと思えば超高層ビルがどんどん建てられている近代的な街であり、狭いのに広々とした公園があり、立派なゴシック様式の建築が建ち並び、広い構内を持つ大学がある街。なんとも摩訶不思議な魅力に溢れている街なのだ。

そして大きな魅力が、私の大好きなタージマハルホテルだ。ホテルのことは次章でも触れるが、このホテルの歴史はインド人の誇りだと私は思っている。英国の植民地時代、インド人は英国のホテルに立ち入

ることが許されなかったという。ジャムセトジ・タタ（ＴＡＴＡグループの創始者）は、その当時ムンバイで1番といわれていたワトソンズホテルよりも、数倍美しく豪華で荘厳なタージマハルホテルをインド門の前に建て、誰でも利用できるようにした。英国人もその建物の美しさとサービスの良さに驚き、インドで1番のホテルになっていく。

その歴史あるホテルが、２００８年11月26日の夜、テロ集団に襲撃される。世界中から来た客で賑わっていた建物に、イスラム過激派のテロ集団が入り込み、手榴弾を投げ、逃げ惑う客達を追いかけるように機関銃を発射する。そんな状況にもかかわらず冷静に対処をしていく従業員達の中に、私の知っている人がいた。このホテルの総料理長のヘマント・オベロイ氏だ。私は彼の料理が好きで料理本も持っているし、前話で書いたようにホテルを定年退職した後に自身が開いたレストランへも食事に行っている。

映画の中で、オベロイ氏が「このホテルは私の家族で、客も家族だ。だから私は家族を守る。だが、あなた達には外にも家族がいるだろう。今ならここから逃げることが可能だ。ここから出て行っても何も後ろめたく思うことはないのだよ」と緊迫感が増した厨房でキッチンのスタッフに問いかけるシーンには、心が張り裂けそうになった。

どうしてこの映画が作られたのか。このホテルでテロに巻き込まれた人の数は５００人以上なのに、犠牲者は32人しか出なかったという奇跡。そしてその犠牲者の大半が従業員だったこと。彼らが宿泊客を守るために自らを犠牲にし、機転を利かせて勇敢な行動を取り客を救った。この事実を知ったオーストラリア人の監督が、これを伝えなくてはいけないと思い映画を製作したという。

私は歴史的背景、そして「お客様は神様です、お客様に気持ち良く滞在していただくのです」という創業者の精神が行き届いているタージマハルホテルが大好きだ。

第2章

変わりゆくインドの姿

インド四方山話6

インドのホテルもよう

街の中の喧騒と道端に捨てられた大量のゴミを目にしたのが、私のインドでの最初の衝撃だった。

私が初めてインドを訪れたのは2007年の9月だ。経済自由化が始まって16年を迎え、停滞していた経済の動きが加速している頃で、主人は来るたびにビルの数や、自動車の台数が増えていることに驚嘆していた。私は街の人々の活気の凄さに、そして子供や大人のぎらぎらとした目の輝きに少したじろいでいた。全ての動きの激しさからか、人々のマナーが薄いように感じた。道を走ればクラクションは鳴りっぱなし、われ先へと追い抜こうとする運転に辟易したものだ。

このような街の様子も年を追うごとに、マナーが段々と浸透してきたようで、車のクラクションを鳴らすのも控えめになり、信号の数も増え、さらに高速道路が整いだし、随分と落ち着いてきたように思われるが、ゴミを捨てる行為は、少しはましになったという程度だ。

初めてのインドで、このような衝撃を受け、おちおち歩いてもいられなかった私が唯一安心していられた場所がホテルなのだ。ホテルといってもピンからキリまである。私達はいつも五つ星もしくは四つ星に泊まる。とはいってもこの星の数も世界標準なのかはわからない。なぜなら、去年チェンナイで泊まったホテルは七つ星だという。インドの最高クラスは七つ星らしい。インドのこのクラスのホテルのサービス

はとても素晴らしく、スタッフが誇りを持って仕事にあたっているのを強く感じる。

そもそもインドのホテルでは嫌な思いをしたことがほとんど無い。どのホテルも格にあったサービスをきちんと行っている。日本のホテルでたまに見られる慇懃無礼な接客は、インドでは見受けられない。人手が十分にあるのがインド。サービス業にとってはこの上無いことだ。ただ、人手があるので仕事が細かく分けられているからだろうか、クリーニング、部屋の備品の交換、冷蔵庫の補充、ベッドメーキング、部屋の掃除、と入れ替わり立ち替わり人がやって来るのは困ったことだが。

インドのホテルの歴史は、西欧諸国がインドを統治した時代抜きには語れない。英国に統治され、執事を始め庭師まで英国式のマナーを叩き込まれ、世界に通用するマナーを学び、今に至っている。

コロニアル時代の面影を残すホテルは数多く残っている。私の好きなホテルにムンバイのタージマハルホテルと、チェンナイのコネマラホテル（現在はヴィヴァンタバイタージコネマラ）がある。

コネマラホテルは、英国の統治時代の香りが色濃く残っている。本でしか知らない世界だが、英国の紳士淑女がどの様にこの国での生活を送っていたのか、思いを馳せるに十分な品がホテルのそこかしこに漂っているからだ。

それとはまったく違う理由でムンバイのタージマハルホテルは造られた。このホテルはＴＡＴＡグループの創始者であるジャムセトジ・タタが創建した。当時ムンバイ最大のワトソンズ・ホテルに彼は立ち入ることが出来なかった。なぜなら白人専用のホテルだったからだ。そこでタタはインド人の建築家による、インド人のための豪華なホテルの建設を始める。そしてインド伝統の建築様式と西洋様式とを織り交ぜた素晴らしい建物が出来上がる。ホテルの開業は１９０３年だが、今に至るまで、インドを代表する最高級のホテルである。現在は旧館に加えタワーも建てられている。優雅さと奇を衒わない美しさが秀でている内装の一つが天井に向かう長方形の階段で、アイアンレース（装飾を施した鋳鉄の手すり）を用いたデザインが可憐だ。吹き抜けの天井を見上げると階段を支える白い漆喰と、アイアンレースのなんともいえないコントラストの美しさ。天井のドームは薄いグリーン。素朴さの中に、重厚感漂う美の空間を作り上げている。

美しい空間はもう一つある。ムガル様式の美しい窓を持つ建物の中庭にあるプール。それを見渡す位置にあるカフェは優雅そのものだ。

インド人の誇りをかけてミスター・タタが造り上げた最高に美しいホテルは、英国王のジョージ5世とメアリー王妃がムンバイを訪れたことを記念して造られたインド門の目の前に建っている。

インド四方山話７

サリーについて

インドの女性を思い浮かべると、やはりサリーに身を包む姿、あの何重にも生地を体に巻きつけている姿を、またはサリーの裾を頭にスカーフのように被る姿が思い浮かぶだろう。サリーは日本の着物と同じで、昔は朝起きてから床に就くまで着ている衣装だった。だが西洋化が進み、洋服を着る女性のパーセンテージが増えると、サリー姿の、特に若い女性の姿が年々少なくなっていく。

何年か前までは、道路工事の現場や、農作業で、サリーを着て働いている女の人をよく見かけた。サリーの裾の部分をたくし上げ、腰に挟み込んで作業をしているのだが、時代と共にこのような風景も消えていくのだろう。だが、サリーはインド女性の誇りでもある。独立記念日のパレードで、インド軍女性兵士が正装であるカーキ色のサリーに、スニーカー姿で威風堂々と行進をする姿は、外国人の私から見ても、彼女達の誇りを強く感じる。マザー・テレサの修道院の修道女達も、青の縁取りのある白のサリーが制服になっている。私の主人の地元、チェンナイのカトリック教会の修道女達も、昔は黒の修道服だったが、今はサリーに替わっている。機能性では洋装に劣るが、インド女性の象徴的な意味合いを大事に思いサリーに替えたのだ。

日本の着物も西陣織に始まり、加賀友禅や京友禅、大島紬、江戸小紋など、織り方、染め方、デザイン

が地方によって異なる。インドも同じで、各地方によって異なる特徴がある。世界的に有名なのはヴァラナシ（ベナレス）地方の絹のサリーだ。複雑な金糸刺繍が有名で、それは美しくゴージャスだ。普段に着る綿のサリーも今はプリントが多いが、昔は刺繍で柄を描いたり、手描きだったりとそれは素敵なのだ。

サリーは一枚の布で出来ている。長さは5mから8mと長い一枚の布。その布を体に巻きつけている。今はブラウスを着てその上から巻きつけるが、昔は裸体に布を巻きつけていた。ヒンドゥー教の観念は布地を裁断する事無く、身につけることを浄とするからだ。この長い生地を仕立てるというより整えてもらう。裾に当たる部分にボーダーをつけ、生地の両端を始末する。そしてブラウス用の共布を流行のスタイルに仕立てる。下に着るブラウスは体にぴったりと、おへそが見える丈で仕立てなくてはならず、採寸をおろそかには出来ない。ゆるみがあると貧相に見え、みっともないといわれる。

街のサリー店は日本の呉服屋と同じで上がり框（かまち）があり、そこに5〜8mほどの生地をこれはどうか、それよりこっちの生地はどうかと何枚も広げる。上がり框に隙間無く色が溢れ、絵のような美しい光景が現れる。

娘の結婚が決まり、その準備のため米国から戻ってきた従姉がまずしたことは、花嫁のサリー選びだ。サリー屋が何十枚もの生地を我が家に運び込み、近所に住む親戚の叔母や、彼女の友達などが集まる。

「これは地味よ」

「あら、この刺繍は素晴らしいわ」

「花嫁だから赤を大事にね」

「金糸がすくないわ」

とにかくかしましいことこの上ない。そして床一面に広げられたサリーに埋もれた従姉の顔は、幸せに満ちていた。

インド四方山話 8

インドの鉄道①

インドを訪れること11年目にして、初めて列車に乗る。今まで乗るチャンスが無かったのではなく、主人が乗り気ではなかった。彼に言わせるとその理由は、インドの列車事故は日常的に起こっているからだと言う。事故が多いのは事実だ。原因は線路、車両の老朽化に加え、通勤列車の乗客の無謀な乗り方など。車両の屋根の上、外側にまで人がしがみついている光景をテレビなどで見たことがあると思う。もちろん振り落とされての死亡事故は多い。今現在は前ほどの混みようではなくなったと聞くが、実際はどうなのだろうか。

今回、私達が乗るのは長距離列車だ。チェンナイからマイソールまでの約５００㎞の距離を6時間で走る。エキスプレスで停車するのはベンガルール（バンガロール）ただ一駅だけだ。

チケットを買うのが難儀だった。チェンナイ州政府の合同庁舎の敷地内にあるインド国鉄の発券所に買いに行く。待合所に20人ほど待っているが、六つある窓口で開いているのは一つだけ。その窓口では、中年の女性が話しこんで終わる気配がない。

「ここは相談所ではなく、切符売り場でしょ?」とついつい愚痴が出る。この調子では、あと何時間かかるか分からないので、明日の朝一番に我が家の管理人が買いに来ることになった。

「朝6時発です。オンタイムに出ますからね」と管理人は言う。インドでは時間通りということが珍しい。日本であれば、列車のダイヤは時間通りが当たり前なのだが、インドはダイヤ通りに動き出したのがここ数年前からだ。だからなのか、やたらとオンタイムに気をつけろと言う。

当日は朝4時に起き、5時前に管理人と家のドライバーで駅に向かう。朝が早く道がすいているため20分ほどで着く。日中だと40分はかかる。管理人がホームまで荷物を持って案内する。駅構内は、朝の5時半とは思えないほど人で溢れている。座り込んでいる大勢の人達、大きな荷物を持って行き交う人達、朝早くから凄い熱気だ。構内を少し進んだ時、管理人が構内専用の電動カートを止める。

「さあー乗れ」というので乗る。何故乗ったのかはすぐにわかった。プラットホームまでが遠いのと、プラットホームに着いてから列車の乗降口までがまた長い。

「これは助かったわね、歩いていたら大変だったわ」と私達。幾ら払ったのかは聞かなかったが、駅構内の仕事でサービスではない。

列車はアナウンスもなくオンタイムに動き出した。日本のように懇切丁寧なアナウンスは無い。発車してしばらく経つと、まず水のボトルを配りに来る。その後すぐに新聞を配り、その後「tea or coffee?」と声がかかる。鉄道代金はエアーチケット代金と変わらないので、1等車両のサービスはこれでもかという具合になるのだろう。その後は、朝食のメニューを持って来る。3種類あるメニューの中から、ノンベジタリアン（ノンベジ）を頼む。サンバー（味噌汁のように毎日食べる）、ワダ（豆粉で作るドーナッツ）、チャパティ（全粒粉の薄焼きパン）、ゆで卵をターメリックで色付けしたもの、ライタ（ヨーグルトサラダ）、キール（甘いお米のミルク煮）と南インドの朝ごはんを頼む。インドの鉄道の歴史は日本より古いという話は次回にする。

インド四方山話９

インドの鉄道②

特急の1等車両のサービスが凄いという話を前回に書いた。６時間の乗車時間の特急だと2回の食事に、ティータイム、ドリンクと新聞のサービスがつく。そして60歳以上のシニアの運賃は半額になる。

インド鉄道の開通の歴史は日本より20年早い。英国支配下だからこその鉄道事業が、投資としてインドで始まったからだ。インド人のためのものではなく、英国人資本家のインド国内産業、例えば綿花、鉄鉱石、茶葉の輸送のためだった。

１８５３年4月16日にボンベイ（ムンバイ）からターナー（ターネー）間の34㎞が開通する。旅客列車としては１８５４年に、カルカッタのハウラー駅から61㎞離れたフーグリー駅まで開通。南インドではマドラス鉄道会社の最初の区間が開通。このように次々と路線を延ばし、１８８０年には総延長が約1万４４４０㎞になる。このめざましい鉄道事業の発展により綿花、鉄鋼などの産業が著しく発展する。

その結果、鉄道会社が乱立し利益をはかることを最優先し、決められた線路幅をより安く出来る幅に変えたため、軌間が不連続になる。鉄道会社が変わる駅に着くと、乗客の乗り換え、荷物の積み替えなどで効率が低下する。このことは今現在も続く問題になっている。そして使われた機関車も、各鉄道会社が別箇に輸入するので、１９２３年には５００種類もあった。1番の問題が鉄道会社で働くインド人の地位の

低さだ。仕事は保線員、下級駅員にしか登用されず、人種差別も甚だしかったという。

１９４７年８月14・15日、英国統治が終わりインドとパキスタンに国が分かれる。鉄道も亜大陸の路線総延長の40％がパキスタン（バングラデシュも含む）に属することになる。だがインド独立後に鉄道は黄金期を迎える。ネルー首相の肝入りで蒸気機関車は国産化され、そして鉄道会社は国有化になり、公共企業として運営されていく。

鉄道世界遺産にも山岳鉄道群として３路線と駅舎の２件が登録される。３路線とはダージリン・ヒマラヤ鉄道（全長88㎞）。平均時速が12・１㎞で自転車よりも遅いので、トイ・トレインと呼ばれている。それとニルギリ登山鉄道（全長46㎞）。この二つの鉄道は茶園から茶葉を運ぶために敷かれた。残る一つはカルカ・シムラ鉄道（全長96㎞）。シムラは英国統治時代の夏の首都、そして避暑地なので交通の便のために敷かれた。

駅舎はムンバイのチャトラパティ・シヴァージー・ターミナス駅だ。１８８８年に完成し、英国ヴィクトリア女王にちなみ「ヴィクトリア・ターミナス」と呼ばれていたが、１９９６年に名前を変える。17世紀マラーター王国の王の名「チャトラパティ・シヴァージー」にちなんで付けられた。ヴィクトリア朝・ゴシック建築様式とインドの伝統建築が融合した荘厳、壮麗な建築で石柱の彫刻、石造りのドームが有名だ。

「鉄道世界遺産は５件登録されています。そのうち２件をインドが保有するのは誇らしいことだと思いませんか」と案内をしてくれたガイドは言う。

今、インドの大都市では地下鉄工事が盛んに行われており、デリーの一部はすでに開通した。そして新幹線の工事も始まるという。新しいインド鉄道の歴史が始まっている。

・本話のインド鉄道の歴史は下記の書籍を参考にした　小池滋、青木栄一、和久田康雄編『鉄道の世界史』悠書館、２０１０年

インド四方山話10

ベンガルールの休日

好きなインドの街はと聞かれれば「ムンバイとバンガロール」と私は答える。

２０１４年、カルナータカ州の州都バンガロールはベンガルールと名が変わった。バンガロールで慣れ親しんでいるので、なかなかベンガルールとは言いづらいが、ようやく慣れてきた。高原に位置するベンガルールには世界中のＩＴ企業が集まり、インドのシリコンバレーといわれる都市。そしてインドを代表する軍需産業の集積地でもある。当然のように、高等教育機関も集中している。インドとは思えない公園のような美しい街なのだ。

私達が泊まるのはオベロイホテルだ。街の中心地にあるホテルなのだが、一歩敷地に入るとそこは木々に囲まれ、鳥のさえずりが聞こえる別世界。ロビーは中庭に面しており、開放感を演出している。各部屋にはバルコニーがあり、バルコニーの椅子に座ると中庭の常緑樹の木々の緑や、咲き誇る花達、吹き渡る風、飛び回る鳥達、それらが目と耳を楽しませてくれる。都会でリゾート気分を満喫できる素晴らしいベンガルールを象徴するようなホテルだ。

ベンガルールで是非行きたいと思っていたナショナルギャラリーを訪ねる。私はインドの国立と名が付く美術館、博物館は可能な限り訪れるようにしている。どの国も同じだが、国の成り立ちや、歴史、芸術

文化が分かるからだ。どの美術館も歴史を語る素晴らしい建物だが、残念なことにどの美術館、博物館も出展物を雑にそして無造作に展示している。中には埃をかぶった展示物もある。国立の現代美術館であるベンガルール・ナショナルギャラリー・オブ・モダン・アートも無防備な展示だ。傷つけられなければよいが……。老婆心ながら思ってしまう。

この時は運悪く展示の入れ替え作業にぶつかり、落ち着いて鑑賞できる状態ではないので、早々に切りあげ、ＵＢシティのモールにランチに行く。ここは有名ブランドが多く入る高級モールだ。スペインのリヤドロの店もある。日本のリヤドロには節句人形など日本ならではの磁器が売られているが、インドのリヤドロもとても美しく、ガネーシャ神や他の神様の磁器が飾られている。可愛く美しいがお土産に買えるような値段ではない。だが結構値の張る大きなガネーシャ像などがよく売れているというから凄い。

そのモールのルーフガーデンに色々なレストランがある。その中のフレンチカフェでランチにする。

「マッシュルームとベーコンのキッシュと白ワインにするわ」

「僕はフィッシュ&チップスとビールでいいや」とオーダーする。

「UBとは、ユナイテッド・ブルワリーズの頭文字で、インドのビール会社だよ」

インドのビールで一番有名なのがキングフィッシャーでUBの主力商品だ。

ここは恵比寿ガーデンプレイスと同じような場所なのかと、レストランを見渡して思う。

「インドにいる気がしないわね。女性でサリー、サルワール・カミーズ（パンジャビスーツ）を着ている人はいない。皆、スーツかパンツとジャケットね」

インドを訪れるたびに感じるのだが、都会の場景が変わっていく。数年前ならサリーを着たビジネスウーマンも結構見かけたのだが。あと数年でインド各地からサリー姿の女性が消えていくのだろう。

インド四方山話11

前衛的インド料理

２０１７年の3月にチェンナイに新しくオープンした、アバンギャルドなインド料理レストランが素晴らしいと聞く。おしゃれなチェンナイっ子は「ファンタスティックなレストランよ。まるでアートのような料理なの」とそれは興奮した口ぶりだ。アバンギャルド・インディアン・キュイジーヌの波がようやくチェンナイに到達したのだ。

第2次世界大戦後のインド料理の流れを調べてみるとなかなか面白い。戦後の１９５０年代は、分離独立をしたパキスタン周辺から逃げてきた人達の料理がニュー・インディアン・キュイジーヌと呼ばれ、もてはやされたそうだ。

１９７０年代に入ると、タージグループやＩＴＣグループホテルが各地方の郷土料理を出すクラシカル・インディアンレストランを次々とオープンし、伝統料理に回帰する。

そして１９９０年代に入ると伝統料理をアレンジした実験的キュイジーヌが台頭してくる。だが、やりすぎたのか「これのどこがインド料理なのだ」と言われるようになり衰退。その時代の野心あふれるコック達は、自由な料理を求めて海外に出る。

その後の２０００年代初頭から、フランス料理の手法を取り入れ洗練されたインド料理のレストランが

次々とオープンし、今はアバンギャルド・インディアン・キュイジーヌが定着してきた。しかしインドでも保守的なチェンナイには、なかなかこの波は来なかった。

新しいアバンギャルド・インディアン・キュイジーヌのレストランの名は、ＩＴＣグランドチョーラホテルにある「Avartana」。オープン当初から最先端を走るインド料理と評判だったそうだ。そんなに評判なら行かぬわけにはいかないと予約をする。料理の盛り付けがフランス料理の手法を用いているだけだろうと思っていたが、その予想は完全に裏切られることになる。

料理は5つのコースのみでそれぞれ名前が付いていて、各コースにはノンベジとベジがある。その中にシーフードだけのコースもあり、私はこのコース「tara」を頼む。

コースは前菜からデザートまで13皿で構成されている。まず紙の器に、揚げたスパイシーカラマリ（イカ）が炎を纏って供される。最初から意表をつく演出で、この後もアートの世界に引き込まれる料理が続く。チェンナイっ子が言っていた「ファンタスティックなのよ」の意味がよく分かった。白身魚の切り身をスパイスでマリネをして焼き上げ、小さな丸いイディリ（米粉の蒸しパン）の上に盛り付け、グリーンソースをヒスイ湖に見立てた目にも鮮やかな一皿は芸術作品のようだ。そして一口食べれば、それらは間違いなく上品な南インド料理なのだ。

コックについて尋ねると、南インド人のフレンチシェフ、イタリアンシェフが中心となり作っているそうだ。

オーナー曰く「南インド料理だけを学んできたシェフにはこのような料理は出来ない。頭が固いからね。ここのコックは南インド人で、生まれた時から南インド料理を食べて育った。そして彼らはフレンチ、イタリアンの修業をした一流のコックだ。だからアバンギャルドな南インドキュイジーヌを作り出すことが出来るのだよ。私はこの料理を世界に知ってもらいたい」とのことだ。

ＩＴＣグランドチョーラは、インドでも３本の指に入る五つ星ホテルで圧倒的に白人客が多い。インド料理が世界を沸かせる時も近いのでは。

インド四方山話12

インドへコックを探しに①

今年（２０１７年）５月のインド行きの一番の仕事はコックの面接だった。我が店アジャンタは今年で還暦を迎えた。主人の父は南インドのアンドラ・プラデーシュの出身である。ゆえにアジャンタは南インド料理から始まった。初めは〝カレーと珈琲の店〟としてスタートする。南インドはコーヒーの生産地として世界的に有名で、義父はコーヒーをとても好んでいたからか、カレーだけでなく〝珈琲〟と看板にも書き添えた。今では南インドのコーヒー豆も知られるようになってきたが、その当時はインドとコーヒーは結びつかなかったのではなかろうか。

開業当時のメニューはチキンカレーとコーヒーだけだった。キッチンに入っていたのは日本人の義母で、義父から教わったチキンカレーを丁寧に大事に作っていたという。それだけのメニューだったのがよかったのか、やはり本場のチキンカレーの美味しさなのか、客足は絶えなかった。当初は阿佐ヶ谷の実家で営業していたのだが手狭になり、靖国神社の傍に引っ越すことになる。そして店が大きくなり、チキンカレーだけではダメだと、義父の妹をコックとしてチェンナイから呼び寄せる。アジャンタの料理はここからも分かるように義父の家庭の味なのだ。そこにはホテルのコックの決まり事も無ければ、町の食堂の原価計算も無く、ただ美味しい家のご飯を作ること。だが店が繁盛しだすとそうは言っていられなくなる。そ

してインドの地元からコックを呼び寄せるまでになった。

父の家の味であるマトンカレー、キーマカレー、そしてチキンカレーのレシピはその後も守り続けているが、時間の経過とともに日本では北インド料理が主流になり、南インドをうたっていたアジャンタも、いつの間にかタンドール料理やナーンを焼くようになっていく。昔は南インドから呼び寄せたコックがいたが、気が付けば北インドのコックばかりになり、南インド料理は父の家のカレーだけに。だがアジャンタは父の家のカレーの味で、還暦を迎えることができたのは確かなのだ。

主人の思い出話に「インドから叔母が来ていた頃の僕の弁当は、チャパティと野菜のサブジやカレーだったよ！　インドの弁当箱って汁物もこぼれないようにフタがうまく出来ているのだよね。でも開けると匂いが教室中に漂うから、嫌でね。でも叔母は毎日嬉しそうに作るから何も言えなかったよ」と今は楽しそうに語っている。その頃アジャンタのメニューは全て南インドのそれもマドラス料理が主流だった。創業60年を機に南インド料理をまた店に出したい気持ちがつのり、チェンナイにコックを探しに行こうということになったのだ。

インド亜大陸は広大な上に民族が異なる。地域の食も、宗教や階層でまた異なるが、大きくインド料理を分けると、北インド料理、南インド料理、ベンガル料理、ゴア料理に分けることができるだろう。あくまでも大まかに分けた場合だ。インドという国は食だけではなく、言語や人種も全てが多種多様で、例えば色の白い人、うんと黒い人、浅黒い人、黄色い人、背の高い人、日本人より低い人、顔の彫りが深い人、のっぺり顔の人と色々だ。これほどに地域、地方で文化の違いが大きくそれらが共存している国は世界広しといえど、インドぐらいだろう。話は次回に続く。

インド四方山話13

インドへコックを探しに②

義父はアンドラ・プラデーシュの出身。そして家があるのはタミル・ナードゥのチェンナイ。どちらもインドの南東部に位置する。アジャンタの料理は主人の家の料理からスタートした。１９５７年創業で60年を迎えた２０１７年、南インド料理を充実させなくてはアジャンタではない――気が付けば店のコックは北インドのコックばかりに――とチェンナイにコックを探しに行く。現地の親戚やスタッフに〝日本に行ってもよいというコック、そして何より腕の良いコック〟を探してくれるように頼んでおく。

チェンナイで1番、いやインドの中でも10本の指に入ると評され、各界の著名人が通うことでも知られる有名店のコックが「日本に行ってもよい」と言っているという。私達も何年か前まではよく行っていたのだが、味が変わってきたように感じ、ここ3年ほどは足が遠ざかっていた店だ。

ダクシン料理を看板にしている店で、南インドの各州の料理を売りにしている。ダクシンとはサンスクリット語で〝南〟を意味する。私の好きなダクシン料理の一つに蟹料理がある。高さ10㎝ほどの素焼きの壺にハーブ、スパイスで調理した蟹の身がぎっしり詰まっている贅沢な一品だ。蟹の甘さをスパイスが引き立て、口に広がる旨味がなんともいえない。そして店で演奏されるカルナータカ音楽にも、南インドの匂いと風を感じる素晴らしい店だ。カルナータカとは南インド古典音楽のことで、音楽の分野も北と南で

は違う。北インド古典音楽はヒンドゥスターニという。使用する楽器も違えば音階も違う。詳しくはまた何かの機会に書いてみたい。

この店のコックならば言う事無しと、早速我が家のキッチンで面接と試験を兼ねて料理をしてもらう。蟹、魚、チキンの料理をお願いする。

キッチンで材料の下ごしらえを始める。

ふと私の目がある物を捉え、「嘘でしょう！」と言葉が飛び出す。通訳をしてくれているスタッフに「これを使うのか聞いて」と言うとコックは「使いますよ」と平然と言うではないか。

スタッフがよく聞くと店でも使っていると言っている。インスタントの蟹カレー、魚カレー用ミックススパイスを持って来たのだ。悪びれる様子も無く、普通に自分の店でも使っているのだから、レストランだったら使うのが当たり前だという。そこでなんとなく納得したのが、ここ数年であの店の味が変わったということだ。化学調味料が一流の店にまで蔓延しだしたのが悲しい。この彼にはお引き取りを願った。

次に来たのはインド人経営のホテルのシェフ。上から2番目だそうで、ホテルのマネージャーの紹介だ。腕のよいコックだから使ってほしいと頼まれる。早速我が家で料理をしてもらう。素朴で奇をてらうことのない料理を作る。そして何より手間隙を惜しまない丁寧な仕事だった。

このコックに決めるまでに地方にも足を運び、３人ほど面接したが、皆化学調味料の魔の手がのびており、本人達もそれに魅せられていた。「どうして使ってはいけないのか」と開き直る。ここ数年、町のレストランの味が均一になり、素材の味が感じられないのも化学調味料のせいなのかもしれない。使い方にも工夫があるのだろうと思うが、簡単に味が出せて手抜きが出来る。その上に材料も倹約できるということが一番の理由なのだろう。

どうにかこうにか腕のある２人のコックを日本に呼ぶことができた。

書き下ろし

アートな夏休み

主人のジェイは東京生まれの東京育ち。彼と妹は、小学6年生の時から高校卒業までの夏休みを、毎年チェンナイの伯父の家で過ごしたという。本人の希望ではなく、彼の父の兄・ラーマ伯父さんがそれを望んだからだ。彼らの夏休みの3か月はどのような生活だったのかと聞くと、「毎日タイトな勉強のスケジュールを組まれて辛かったよ。ただ、すべて英語だったからまだ救われたのかな、ヒンディーだったらお手上げだよ」

伯父が組んだ授業の時間割は、1教科を1時間で、毎日4教科、5教科とあり、その教科ごとの先生が毎日何人も伯父の家に通ってくる。何を勉強したかと聞くとすごい内容だ。語学、舞踊、南インド音楽、ヨガ、聖典と教養を身につけるという趣旨であることが良く分かる。語学はヒンディー語とテルグ語で、テルグ語とは義父や伯父の出身地のアンドラ・プラデーシュの言葉だ。

舞踊はチェンナイ（タミル・ナードゥ州）の古典舞踊バラタナティヤム[*1]（バラタ）とアンドラのクチプリ。南インド音楽はカルナータカ（カルナティック）という様式の唄を習い、楽器は南インドの弦楽器のヴィーナ、打楽器ムリダンガムとガタム、そして北インドの打楽器のタブラ。

「なぜ北インドのタブラが入っているの」と聞く。「興味があったからだよ、一つぐらいは僕の好きな物もないとね」。妹は本人の希望でインド武芸も習ったという。

ヨガはハタヨガと瞑想。そして古代インドの聖典の一つのリグ・ヴェーダを習ったというから凄い。サンスクリット語で書かれているヴェーダは彼に言わせると、「読み書きは簡単だったよ、でもね、意味はまったく分からないよ、当然だけど」

これだけの習い事を３か月みっちりとやらされた。そしてそれはラーマ伯父と、母の姉・ギータ叔母が強く望んだことだったのだ。インド人にとって、最も大事な教養の一つが芸術であることを、このエピソードを聞いて納得する。

主人は「毎年長いときで３か月、短いときでもひと月はチェンナイで過ごし、勉強したことでインド人としての軸が出来たと思う。アイデンティティがそれによって確立されたよ」と言っている。伯父さんに感謝です。

さて彼も習っていた南インド古典舞踊バラタに話を移す。彼の従姉（彼の父の上の兄の娘）にバラタ、クチプリなど、インド古典舞踊の世界では誰もが知っている名手がいる。名前はヤミニ・クリシュナ・ムールティ、81歳。

ラーマ伯父さんの家の裏手にある、神智学協会本部敷地内に、１９３６年、インド総合古典芸術学校のカラクシェトラが設立された。近所ということもあったのかもしれないが彼女は5歳で入学。数々の師匠に師事、１９５７年17歳で舞台デビューをする。華やかに活躍を始めたヤミニが傍にいるので、伯父は主人にもバラタとクチプリを習わせたのだろう。その後、ヤミニは数々の賞、国家勲章を授与され、インド内外で称賛されるカリスマ的な存在となった。

我が家とバラタとの関係は今でも強く、数年前からチェンナイの家の別棟でバラタの教室を開いた。朝と夕方の一日2回のお稽古が行われている。教えている先生は、主人と同じ先生に習った人の弟子にあたる若い女性。その大先生はV・P・ダナンジャヤンといい、従姉のヤミニと同じカラクシェトラの卒業生で、現在は米国バージニア州を拠点にバラタの普及を行っている。私もチェンナイの家で開かれたカルナティックの唄会で、たまたまアメリカから帰国していた大先生ご夫妻とお会いした。

海外に出たインド人の多くがインド芸術を広げようとしている。義父の働きかけで、小学6年の夏休みから戻ったジェイ兄妹は「ヤマハヤングジャンボリー」というTVの音楽番組でバラタを披露した。そして彼のヤミニではない従姉のラクシミ（当時10才）も日本で行われた「子供世界会議」のインド代表として来日した時に、「小川宏ショー」でバラタを披露している。

グローバルに活躍する海外在住のインド人にとって、古典舞踊、インド音楽、ヨガなど、インドの芸術や哲学は彼らのアイデンティティとして存在している。そしてインドの外で生き抜くための原動力になっていると日々感じるようになった。

*1　バラタナティヤムとは、古代タミルの抒情詩にも記述されているインド最古といわれる古典舞踊で、南インドのヒンドゥー寺院の巫女により受け継がれ踊られてきた奉納舞。読み書きの出来ない民衆に、神話や叙事詩を教えるための踊りでもあった。だが19世紀にエロティックな踊りが社会問題とのかかわりから衰退。しかし、20世紀前半、イギリス人神智学者であるジョージ・アルンデールと、その妻ルクミニ・デヴィは、芸術のルネッサンスを目指し、官能的な要素を排して高度な技術を伴う厳格な形を作りあげ、インド舞踊バラタナティヤム・カラクシェトラ流派を確立する。

第3章

地域の味を探して

インド四方山話14

南インドコーヒー

小島のさえずりに起こされる。庭の大きなアーモンドの木の下で飲むミルクコーヒーの香りと、まだ涼しい空気の匂いに混じる草木の芳しさ。朝6時、この時間でないと味わえない至福のひととき。

「グッモーニン、コーヒーを淹れましょうか」と我が家のコックのインディラ。

「お願いするわ、ありがとう」と私。

毎朝この会話で始まるチェンナイの一日。アーモンドの木の下に小さな机と椅子を出し、その下で飲むインドコーヒーの美味しいこと。あと1時間もすれば太陽が元気に輝きだし、芳しいと感じる匂いは消され、むっとする重たい空気に変わってゆき、至福の時間は終わりになる。

インドは紅茶と思われがちだが、南インドでは紅茶よりコーヒーを好む人が多い。我が家では紅茶をほとんど飲まない。毎日何度もコーヒーを淹れる。北インドの人達が日に何度もチャイを飲むのと同じように。

コーヒーを淹れる器具はステンレス製の筒を二段重ねにした物で、上の筒の底にはフィルターになるように細かく穴があけてあり、そこにコーヒー豆を挽いた粉をいれ、熱湯を注ぎ、下の筒に落としていく仕組みになっている。蓋もついており、蒸して淹れることも可能だ。

私はどこで飲むより、家のインディラが淹れてくれる新鮮なミルクたっぷりのコーヒーがとても好きだ。ミルクが新鮮とは、朝最も早くに絞ったミルクが近所の店に届くので、その朝一のミルクを買ってきて淹れているという意味。だが時代と共に、このような買い方も出来なくなるだろう。主人が面白いことを言っていた。

「50年ほど前は乳牛を引いて売りに来ていたから、目の前で絞ったミルクを買っていたよ」

我が家のミルクコーヒーの作り方はコーヒーを濃く抽出しておく。傍らでは鍋に新鮮なミルクを入れて沸かし、ミルクがグツグツと言い出したら、抽出したコーヒーを鍋に入れ、かき混ぜて出来上がり。朝のコーヒーは砂糖を多めにして甘いミルクコーヒー、午後のコーヒーは砂糖抜きで飲むのが私流。

「インドは紅茶でしょ！　なぜコーヒーなの？」と思われるかもしれないが、南インドはコーヒーの生産地であり、紅茶の栽培以前からコーヒーは栽培されていた。インド産のコーヒーを知らない人は多いが、生産量は世界で8番目を誇る。ただしほとんどが国内消費なので海外ではあまり知られていない。

コーヒーの生産国の大半が北回帰線と南回帰線の間に位置しており、この地域をコーヒーベルトと呼んでいる。南インドもちょうどこのコーヒーベルトに位置する。年間雨量が１８００㎜から２５００㎜、平均気温20度前後、日当たりが良くその上に日陰もあるというのがコーヒー栽培の必要条件で、その条件を満たしている熱帯・亜熱帯の高原で良質なコーヒー豆が収穫されている。

タミル・ナードゥ州の南部中央にある高原避暑地コダイカナルで休日を過ごした時、近くにあるコーヒープランテーションを訪れた。コーヒーベルトの条件そのままの場所で綺麗な白い小さな花をつけたコーヒーの木が整然と並んで植えられており、それは美しい光景だった。当然だが、コダイカナルのホテルで飲んだコーヒーのそれは美味しかったこと。

インドの紅茶は世界一。コーヒーもそのうち世界一になるのでは。

インド四方山話15

ゴアの料理①

ゴアの友人からカシミールチリをもらった。カシミールチリの特長は甘みと綺麗な赤色だ。このチリが無いと自慢のゴアのポークヴィンダルーが作れない。ゴアの料理には欠かせないスパイスなのだ。今回はゴアの料理について書いてみようと思う。

その前にゴアの歴史に少し触れてみる。歴史と料理は深くかかわっている。なぜなら歴史は人間の生活そのものだからだ。

インドは英国の植民地になる前は、中央アジアから侵攻してきたイスラム教徒のムガール人による支配があった。その前の時代にもイスラム王朝はインドにあったが、ムガールほどの支配力は得ていなかった。

ゴアもある時期はイスラムのビジャープル王国の支配下だった。だが１５１０年にポルトガルの侵攻を受け、１５１２年には完全にポルトガルにより征服されてしまう。

これはムガール帝国が出来る以前に、すでにポルトガルはゴアに総督府を置いていたということだ。

ポルトガルはゴアで教会と病院を作ることから統治を始めた。教会、病院を作ることで、多くのゴアの人達をキリスト教に改宗させた。ということは統治がし易くなったというわけだ。

その後、オランダの勢力が拡大することでポルトガルはインドで衰退の道をたどるが、ゴアだけは守り

きる。

インドが英国の植民地になってからも、ポルトガルはゴアを自国領とし続ける。

１９４７年インド独立の際も、ポルトガルはゴアの返還に応じなかった。第２次世界大戦の時、ポルトガルは中立国を通したからだそうだ。

ポルトガルがゴアの植民地支配を終えるのは１９６１年のことだ。平和的返還を求めるゴア市民のデモに、ポルトガルの警察官が市民に発砲する。インド政府は怒り、武力侵攻でポルトガルの長い支配が終わる。だが、正式にゴアがインドに併合され、公式にポルトガルが主権を放棄したのは１９７４年だ。それまでの間、国連がゴアのインド併合を認めなかったからだ。これほど長い年月をポルトガルに支配されていたゴアに、ポルトガルの影響が色濃く衣食住に残っているのは当然のことだろう。今でもポルトガル語はゴア州の公用語の一つなのだから。

現在のゴアだが、クリスマスシーズンに入ると、街はヨーロッパ人でいっぱいになる。ヨーロッパは冬でゴアは1年で一番良い季節だ。

キリスト教の信仰が深いこの街には教会が至るところにあり、クリスマスミサも行われる。ヨーロッパの人達の良い避寒地なのだ。有名なのがビーチで毎夜行われるレイブと呼ばれるパーティだ。ここから、かのトランスと呼ばれる音楽が発生したのだ。

ポルトガル支配の歴史による影響が、ゴアの料理に積み重ねられている。ゴアは焼き菓子やケーキも有名だ。ポルトガルのお菓子であるプリンもベビンカ（プディングのレイヤーケーキ）も当たり前に売っているが、インドの他の街で見かけることは無い。といっても、インドの大都市のホテルのショップには素敵なケーキもクッキーも売っている。大勢のコックが働いていたかつてのマハラジャのパレスでは、ゴアの菓子職人を雇うことが出来るマハラジャはたいそう自慢をしたという。そして今では焼き菓子自体がゴアの名物になったのだ。ゴアの料理の話まで行き着かなかった。次回は料理の話を。

インド四方山話16

ゴアの料理②

ゴアと聞いて何が思い浮かぶかと考えると、私はフランシスコ・ザビエル、ポルトガル領、思い付くのはそのくらいしかなかった。

ゴアはインド最大の商業都市であるムンバイから飛行機で30分なのでムンバイの富裕層の別荘地として人気が高い。またイギリス人やフランス人も12月、1月をゴアで過ごすために別荘を持っているという。

ポルトガルと共に入ってきたキリスト教の神父は、教会を造り布教に努め、教会は病院を造り、ゴアの人々をキリスト教に改宗させた。インドの南西海岸の州はキリスト教徒の割合が非常に高い。英国の支配下におかれた他の州のキリスト教の割合は非常に少ないのに、ポルトガルの支配下にあったゴアが特段にキリスト教徒が多いのはどうしてなのかと考えると、英国は宗教に対して寛大に統治をしたが、ポルトガルは宗教をもって民衆を支配したと思われる。その結果が今日まで色濃く残り、クリスマスシーズンに入るとヨーロッパの人々で賑わうのだ。それと食事に制限が付かないのも好まれるのかもしれない。インドの他の地域ではあまり見ることがない、ビーフもポークもメニューに載っている。

もう一つ、アルコールに対しても寛大だ。酒税が他の州と比べ、とても安いのだ。ホテルでビールを飲むとチェンナイやデリーの半額ほどなのに驚く。宗教的な制約があるかないかで、これほどに違いが出る

くと、他の州では食べるこ
幾つか紹介しよう。最初は
ンダルーについて書くがゴ
と、我が家のヴィンダルー
が一番と言い出す始末だ。この料理の特色は芳醇なマサラ、辛みの強さ、ココナッツビネガーの酸味にカシミールチリとニンニクの香りだ。それらがポークにとても合うのだ。

魚料理も旨い。コリアンダーフィッシュはコリアンダーとスパイスのマサラで作る魚カレー。またサメの稚魚で作るアンボット・ティックはコーカム（柑橘）の酸味と辛さが特徴だ。アサリではないがそれに似た貝で作るココナッツベースのカレーもとても美味しい。ニンニクとドライココナッツとスパイスで炒めた汁気の少ない貝料理もビールやワインによく合う。

変わったところでソルポテルという料理は、ポークの内臓をフェニ酒とビネガー、チリとスパイスをマリネして作るカレーで、スコットランド料理のハギスのインド版だ。フェニ酒はカシューナッツの蒸留酒でゴアの特産品。ビーフ料理で美味しいのはボボティ。ミンチをスパイシーに、そして少し甘くローストした料理だ。英国のミートパイより美味しいという人もいる。

まだまだある。チキンをライムジュース、チリ、スパイスでマリネしてから揚げる、または焼くカフレアルという料理やココナッツベースのマサラで調理したチキン料理。

最後に海老の保存食として作るバルチャオ。香辛料とビネガー、ジャガリー（精製前の自然糖）、フェニ酒に干した海老を漬け込んだピクルスだ。ポークカレーや魚カレーに使われる。ライスにのせて食べても美味しい。

ゴアの食事はインドなのに何か異国を感じる不思議な仕上がりになっている。それを味わうのもゴアの楽しみなのだ。

インド
四方山話
17

ポークヴィンダルー

ゴアに滞在している時に食べた料理「ポークヴィンダルー」の味が忘れられず、日本に住んでいるゴア出身の友達にあれこれと作り方を聞く。この料理は辛味、酸味、甘味の調和が決め手だそうだ。

一番のポイントが辛味に使うカシミールチリでこのチリが手に入らなければポークヴィンダルーは作れないと友達は言う。10cmから大きいのは15cmほどの長くて太い形のチリで日本ではなかなか手に入らない。程好い辛さと甘みに加え、素敵な赤い色が出るのが特長だ。生産地は主にインド北部カシミール地方。ちなみに南インドの我が家の料理には使ったことがない。辛さの強い料理に不向きなようだ。

友達のこだわりは半端ではなく、「レストランなんかで食べないよ、家のヴィンダルーが一番美味しいよ、それに僕の奥さんはビネガーだって家で作るんだぜ！」と自慢が始まる。その彼がゴアに帰るというので日本に戻る時には、カシミールチリとビネガーをお土産にと頼む。

「ありがとう、さっそく作ってみるわね」と言うと

「あ！　忘れた。シュガーを持ってこなかった」

「砂糖ぐらい、いいわよ。ブラウンシュガーを使えば大丈夫よ」と私

「ダメだよ、ヤシから作ったシュガーじゃなければ味が変わっちゃうよ」

「じゃあ水はどうするの？　日本の水で良いのかしら」と少し意地悪になる。

「ポークヴィンダルーに水は使わないよ」

「少しは使うわよ、言ったらなんだけれど、ポークだって日本の豚だけど」と半分けんか腰になってくる。やっと彼は黙ったが、とても不服そうな顔をしている。とにかくゴアのポークヴィンダルーに関してはうるさいのだ。インドの人は何があっても我が生まれ故郷が一番。その気持ちの強さは並大抵ではない。

彼の気持ちをくんで、パームシュガー（ヤシ砂糖）を買って作ることに。

砂糖の歴史もまたおもしろい。砂糖はサトウキビから作られ始めた。サトウキビの原産地は南太平洋の島々で東南アジアを経てインドに伝わり、初めてサトウキビを煮詰めて砂糖を作る方法を発明したのがインドだそうで、紀元前２０００年頃にはインドで砂糖が使われていると書物に書かれている。その後インドからペルシャ、エジプト、中国に伝わっていく。

ヤシの花序液を煮詰めたのが砂糖になり、発酵させればヤシ酒だ。

ヤシ酒もゴアの特産品の一つ。

ヴィンダルーに欠かせないもう一つの味、ビネガーもヤシの実、ココナッツから作る。これで辛味と甘みと酸味がそろう。全てゴアのもので作るのが郷土料理ポークヴィンダルーだ。もちろん私の料理レシピの最強ラインナップの一つとして加えられている。

ゴアの人々が誇るこの「ポークヴィンダルー」という料理は、ポルトガルの煮込み料理とインドのスパイスを上手く合わせた物だ。１５１２年にゴアは完全にポルトガルにより征服され、ポルトガルが植民地支配を終えるのが１９６１年。公式に主権を放棄したのは何と１９７４年だ。

ポルトガルがゴアで最初に行ったことが、病院と教会の建設で、教会をたくさん建てることで多くの人々をキリスト教徒に改宗させる。その結果ポルトガルの生活及び習慣までを自然に受け入れることになり、それが料理にも影響していく。そして、インドにはないタイプの料理や焼き菓子が伝統の郷土料理としてゴアに残され受け継がれている。

インド
四方山話18

12月のコーチン

新鮮な海老の炭火焼きの香ばしい匂いに包まれる。海老を口にほおばり噛み締める。塩と胡椒のみのシンプルな味付けが、甘みを十分に引き出している。身の突っ張るようなぷりぷり感とジュワーと出てくる甘い汁に頬は緩み、幸せも一緒にかみしめ、ほおばり続ける。胡椒の辛さの中にある甘味が塩を引き立てることに驚き「新鮮な胡椒って凄いな」と一言。ここはインド・ケララ州コーチンの海沿いのレストラン。

ケララ州はインド南西部のアラビア海に面した南北に延びている州。胡椒の原産地。その昔からスパイス貿易の拠点で、大航海時代はポルトガルが、その後オランダ、イギリス、フランスと統治が続き、胡椒、象牙、チーク材などの交易が非常に盛んに行われていた。現在も世界トップクラスの生産地だ。友人にケララのコーチンに行ったことを話すと必ず皆同じことを言う。

「ハウスボートに泊まったのでしょう、良かったでしょう」

「ハウスボートって何?」

「WOW!! コーチンのどこに泊まったの、観光客はハウスボートに泊まるのに!」

下調べもせず、コーチンに来た私達はハウスボートなるものも知らなかった。

「今回は主人がホテルを選び予約したから」と言いわけめいた説明をし「ハウスボートというからには水

に浮かんでいるの？」なんてバカな質問をして唖然とされる始末だ。そう、ハウスボートは凄く有名なのだ。コーチンの沿岸部はバックウォーターと呼ばれる迷路のように入り組んだ水郷地帯になっている。この水郷地帯を巡るのがコーチン観光の目玉らしい。

主人が選んだホテルはというと、１６００年後期に建てられたオランダ商人の館を改造したヘリテージホテル。部屋は6部屋しかないが各フロアーには広々とした開放的なリビングがあり、とても優雅で落ち着くホテル。部屋の中はとてもゆったりと広く、天蓋つきのベッドなど調度品はその当時をしのばせる物で揃えられ、対照的にバスルームは清潔で近代的で明るい。気持ちの良いことこの上ない。

一歩外に出るとインドにいるような気がしない。近所を散策しても白人と教会、海老の炭火焼のレストランも客はみんな白人。当然ホテルの宿泊客もそうだ。

「観光客は白人だけだね」と主人が言う。

「いくらなんでも可笑しいでしょう？」と私。

ホテルの支配人に聞くと、この地域は最近までユダヤ人が多く住んでいたユダヤ人街だったそうだ。コーチンのユダヤ人は最古のユダヤ人といわれ、紀元70年のエルサレム神殿崩壊後にインドに来たらしい。そして大航海時代に多くのユダヤ人が移り住んだが、１９４８年のイスラエル建国後、大半のユダヤ人は移住してしまった。

〃ハヌカ〃（別名・光の祭典）というユダヤ人の８日間つづく祭日の、一日目の行事ディナーがこのホテルで催されるという。コーチンのユダヤ人街に世界中からユダヤ人が集まる。コーチンのユダヤ人街は昔を取り戻す８日間になるのだという。インドでユダヤ人の祭日に巡り合うのもインドの奥深さと思い参加することに。ハヌカが始まるのは12月のクリスマスに近い時期だそうで、キリスト教のクリスマスと勘違いされるらしいが、ユダヤ教にはクリスマスは無い。一日目の夜、ハヌキヤという９本立ての燭台――左右４本ずつ、中心にあるのは種火――にローソクが１本灯され、毎晩ローソクの灯が増えていく。ディナーはラトケスというハッシュドポテトのような揚げ物や脂身の多い煮込んだ肉、デザートにも揚げドーナッツなど油を使った料理が多く出され、ユダヤ人の人達とハヌカの一夜を楽しむ。

ケララ州コーチンの思い出は海老の炭火焼とユダヤ人のハヌカの祭典となった。

インド
四方山話
19

チェティナード料理

チェンナイから４５０km南にチェティナードはある。この地方はチェティアーと呼ばれるコミュニティーが19世紀から20世紀にかけて作られていた。生業は貿易商と銀行家だったそうだ。

貿易の主な物が塩とスパイスで東南アジアから中国にかけて商いをしている。そしてインドにはないスパイスを持ち帰り、そのスパイスを使い作った料理がチェティナード料理なのだ。

この村は豪商が建てた館が建ち並び、その姿はインドではなくヨーロッパの街並みを思わせる。ただ廃墟と化した灰色の館は、不気味さが漂っているが、どこかアールヌーボーを思わせる建築だ。使われた建材は、全てヨーロッパから運んだというその豪商の財力に圧倒される。娘の結婚祝いとして父親が建てた、優雅な佇まいであっただろう館を、綺麗に改築したホテルに私達は泊まる。

シンプルでありながらも隅々まで細かい細工が施され、壁の漆喰は大理石のように磨きこまれ、太い木の柱までも磨かれ黒光りしている。庭にはブーゲンビリヤが咲きほこり、野鳥がさえずり、孔雀や鶏がコッコッと芝生を突きながら優雅に歩いている。

支配人は言う「この館は当時の姿をほぼそのままに残して改装しました。当時もこのように鳥達が遊んでいたそうです」

なんと優雅であったのだろうか！

ここは内陸部で海からは遠い。なのに、蟹や魚の料理を得意としているのが不思議だったが、この財力をすれば海からこの地まで運ぶのに、何のことはなかったのだろう。

主人にチェティナード料理を知っているかと聞くと「昔からチェンナイ人は好きだよ、特にチキンマサラは人気があるよね」

私達が泊まったホテルのコックがチェティナード料理を一品教えてくれるという。

「キッチンも昔の館のままですよ、ただし釜戸はガスに替えましたが」

床は御影石で天井は木で造られている大きな厨房に案内される。そこには銅で出来た大きな水のタンクが置かれている。

「今日はチキンマサラを作りましょう。チェティナード料理の特徴は一言で言えばアロマです。南インドは辛さを強調しますが、ここでは香りが一番大事なのです。貿易商が、ビルマや中国から持ち帰った、インドにはないスパイスの香りを大事にした料理です」

そのチェティナード料理に欠かせないスパイスがカルパシだ。初めて聞く名前のスパイスで、石についたコケだそうだ。見せてもらうと、黒い石にフワフワと灰のような物体が付いていた。売られているものは、石から剥がされているので分からない。カルパシは味があるわけではなく香りのために使う。

それともう一つの大事なスパイスがスターアニス。そう、中華料理で使われる八角のことだ。現在は南インドでも生産されているが、中国南東部やベトナムが原産国だという。スターアニスの何ともいえない香りと甘みがこの料理には欠かせない。魚や蟹などの料理もアロマで一味違う料理になる。昔は貴重だったこれらのスパイスや、輸送にお金がかかっただろう魚介など、豪商の財力があってこそ出来た料理がこのチェティナード料理なのだ。同じ南インドの同じ州のチェンナイとチェティナードですら使うスパイスが違うのも、インド料理の醍醐味だ。

インド四方山話20

スープが好き

仕事場から家まで歩いて帰る。ひと駅なので程好い運動である。だが大寒を迎え寒さは一段と厳しく、冷たい空気は容赦なく頬に突き刺さる。肌を通して寒さが不快に感じ出す頃に家に着くのはありがたい。寒い日はインドのスープが良い。意外な話なのだが、暑いチェンナイの我が家の食卓にスープは欠かせないのだ。インド人はスープが好きだ。町の食堂やホテルのレストランのメニューには必ず何種類かのスープが載っている。トマトスープ、コーンスープ、キャロットスープ、ダール豆スープ。季節になるとグリーンピース、ほうれん草、店にはそれぞれ得意のスープがあるようだ。

チェンナイの家の近くの食堂のトマトスープは絶品だ。トマトの甘みと酸味、スパイスの香りと辛さの絶妙な重なり合いに「ほう、旨い」の一言。これをきっかけに私はインドのスープに目覚めた。やはりスパイスがトマトの旨みをより引き出しているのかと思い、店のコックに聞くと、「スパイスはクミンと白胡椒だけ、ポイントは炒めたニンニクですよ。簡単ですから作り方を教えます」と言ってくれる。ご近所さんはありがたい。

良く熟したトマト（4個）の皮をむきザックリと切る。熱した鍋に油をしき、トマトを入れて2〜3分ほど炒める。そこにスライスしたタマネギ（1／4個）を加えてさらに炒める。タマネギが透明になったら、

水（400cc）を加えてタマネギが柔らかくなるまで煮る。冷ましたらミキサーにかける。鍋にギー（精製したバター）をたっぷり溶かし、スライスしたニンニク（1片）が黄金色に色づき、香りが立つまで炒め、ミキサーにかけておいたトマト、タマネギを鍋に移し、ブラウンシュガー（小さじ4）、クミンパウダー（小さじ1）、塩と白胡椒（黒胡椒でも可）を加えて味を調える。

「クミンシードではなく何故パウダーを使うの？」と聞くと「クミンシードだと舌触りが良くないですから」とのこと。

これ以来トマトスープが私のメニューに加わる。冬だけではなく、夏は冷したトマトスープをガラスの器に入れ、サワークリームを落として食べるのが我が家の定番になる。

南インドの定番スープといえばラッサムスープだ。トマト、ニンニク、酸味のあるタマリンド、黒胡椒、カレーリーフで作る辛いがスッキリ爽やかなスープである。南インドは広く、各地方・地方の特色がこのスープにもでるのが楽しい。我が家のラッサムはオーソドックスなトマトとナスのトマトラッサム。パイナップル入りのパイナップルラッサムは、辛さと甘さが入り混じった複雑な味わいだ。酸味はタマリンドという大きな木になる豆の果肉だ。タマリンドの酸味の代わりにレモンを使うと爽やかなレモンラッサムになる。使うスパイスも家や地方で微妙に違うのが興味深い。

ケララ州コーチンで食べたココナッツミルクラッサム。辛さを強調していた今までのラッサムとは違い、ココナッツミルクラッサムは辛さも酸味もまろやかなのだ。私は気に入ったが、我が家が一番の主人は「邪道だね」と一言。

作り方を聞くとトマトラッサムのレシピとまったく同じで、水の代わりにココナッツミルクを使うだけだという。まだまだいろんなラッサムがありそうだ。

最後にスープは英語だと思っていたが、サンスクリットのsūpaが語源だとか。sū は素晴らしい、pa が飲むで、素晴らしい飲みものという意味だそうだ。サンスクリット語のスーパがスープと伝わったとあれば、楽しい話だ。

インド
四方山話21

ヨーグルト・ライス

チェンナイの家に滞在している時に、主人が夕食のシメの前に食べるのがタイル・サーダム（ヨーグルト・ライス）。そしてシメはラッサムライスと決まっている。主人は一年に1回か2回しかインドを訪れないので、チェンナイに帰った際の我が家での夕食は昔ながらの家のしきたりを守ろうとする。

ヨーグルト・ライスとは何ぞや。自家製のプレーンヨーグルトをライスにかけ、少しの塩を振り、混ぜ合わせて食べるだけなのだが、驚愕の声が聞こえてきそうだ。

私も初めてそれを見た時は「エーッ！　何、そんな食べ方をするの？」と驚いて思わず声をあげた。

主人は「とてもスッキリしますよ。普通に美味しいし試してみたら」と言うので、私も食べてみた。

「あら！　ほんと、優しくて美味しいですね」

それを見た主人が嬉しそうに言う「この後が本当のシメで、ライスに（前話に書いた）ラッサムスープをかけてお茶漬けのように食べるのですよ」。ちなみに麹町・アジャンタでも食べることができるので、ぜひお試しいただきたい。

これがチェンナイの我が家の夕食のあり方。インド米の水分量は日本の米ほどではないので、ヨーグルトをかけてもスープをかけても、サラリとあっさり口に入る。日本の米だと2杯、3杯は私の歳だといいた

だけないが、インド米だと軽いので何ということはなく食べることができる。このヨーグルト・ライスは南インド特有のものだ。

インドでヨーグルトはなくてはならない食材だ。ヒンディー語ではダヒといい、タミル語（チェンナイのあるタミル・ナードゥ州）はタイル。英語ではYogurtではなく、Curd（カード）という。

ヨーグルトはカレーにはもちろん、あらゆる料理に用いられる。料理だけではなくドリンクも作る。ラッシーがその代表格だ。

副菜としてのヨーグルト料理も多く、地方によっても様々で、ライタというヨーグルトサラダが数多くある。もっとも簡単なキュウリのライタは、刻んだキュウリをヨーグルト、塩で混ぜるだけだが、カレーや焼き物の付け合わせとして重宝する。これをベースに、刻んだミント、タマネギのみじん切り、細かく切ったトマトを加えるなど、いろいろとアレンジがきく。私は砂糖を少し加えたり、レモンを絞ったりしている。

カジキマグロを一口大に切り、塩胡椒をして焼き、ミントとレモン汁をたっぷり加えたライタを添えれば美味しい夏の一皿になる。ミントではなくタマネギとトマトの組み合わせもおいしい。タンドリーチキン、チキンティッカなども、焼く前に半日ほどスパイスを加えたヨーグルトでマリネする。

オーブントースターで焼くチキンティッカ（10～12個分）の作り方を紹介する。鶏胸肉４００グラムを皮を取って幅４㎝、厚さ２㎝に切る。ボールに鶏肉、プレーンヨーグルト大さじ２、タマネギのみじん切り大さじ2、ニンニク1片と生姜1片のすりおろし、コリアンダーパウダー小さじ１／２、クミンパウダー大さじ１／２、カルダモンパウダー小さじ１／２、レモン汁大さじ1、黒胡椒適量、塩小さじ1を入れて混ぜ合わせて、冷蔵庫で３～４時間寝かせる。焼く時はアルミホイルを敷いて、オーブントースター１８０度位で15～20分を目安に、焦げすぎないようにご注意を。

炊き込みご飯のビリヤニにも必ずヨーグルトを添える。インド料理に無くてはならないのがダヒなのだ。

インド四方山話22

インドの軽食ティフィンの流れ

ティフィン（Tiffin）という言葉はインド全土で使われるインド英語だ。意味は地域で多少異なるが、昼食、中食、軽食、弁当、朝食のことをさす。元々はティフィングという英語のスラングで「お酒を一杯ひっかけようぜ！」という意味らしい。

英国統治時代の英国人達がアフタヌーン・ティーのことをティフィンと自ら呼ぶようになったことが大きく関係する。そしてアフタヌーン・ティーの習慣を知ったインド人達もこのような習慣を私達も致しましょうと、午後の軽食を取るようになったという。最初はインドでも上流階級の人達の間で広まり、やがて時と共に庶民の間にティフィンという言葉が歩き出したようだ。

ムンバイではティフィンはランチボックスのことをさす。かの有名なダバワーラーと呼ばれる弁当運びの人達のことは、今や世界中に知られている。ダバワーラーは自分の担当地域の家から弁当を預かり職場に届ける。ムンバイ郊外からムンバイ市内まで電車に乗り届けるその姿はムンバイの風物詩の一つになっている。一人のダバワーラーが受け持つ弁当の数は30個～40個ほどだというが、よく間違わずに届けるものだと感心する。テレビのインタビューでダバワーラーは「20年この仕事をしているが、一度も間違えたことはないよ！」と自信を持って答えていた姿が印象的だった。

ムンバイの市街地は半島の先端部にあり、郊外から電車通勤する人達が大半だ。日本の通勤ラッシュより過酷な通勤に弁当を持って行くことが難しいということでダバワーラーが活躍する。ならばレストランで昼食をとれば良さそうなものだと思うが、そうはいかない各自の事情があるそうだ。ムンバイはインドで一番の商業都市で全土から人が集まっている。様々な宗教的背景がある人達が多く、食べてはいけないものも宗教で複雑に違う。そういう事情から弁当が一番となるのだろう。

南インドのティフィンは昼食を意味することが多い。主人も小さい頃インドに滞在している時に叔父から「ティフィンしたか?」と聞かれたそうだ。昼は食べたかということか。だが主人が言うには「朝ごはんも昼ごはんも結局は一緒だからね」。私も思いますが、家でも町の食堂でも食べるものは同じで、朝はイディリを食べたから昼はドーサにしようとか、朝はドーサを食べたから昼はワダにしよう……、こうなるとティフィンは朝食もさすことになる。ベジタリアンの多い南インドの家はそうなのだ。

南インドは日本と同じ粉文化なので日本人には馴染みやすい。イディリは米を水に4~5時間浸けてグラインダーで生地を作り、一晩寝かせて発酵させた生地を型に入れ蒸し器で蒸す。ドーサも米と豆をイディリと同じようにして生地にし、クレープのように焼いたもの。ワダも何種類かの豆を水に浸けて生地を作り、油で揚げた物。我が家はこのように昔どおりの作り方で作るが、とても手間がかかる。今はインスタントの粉が売られているので、忙しい共稼ぎの家庭では必需品になっているようだ。

そして今の都会の若者にとってのティフィンは様々なものをさす。ピザもあればハンバーガーもある。サンドイッチやパスタもそうだ。そしてカップヌードルも若者には人気のティフィンになっている。ここ数年インドの全ての事柄の移り変わりが激しく、ティフィンの意味合いも、もっと変わっていくのだろう。

インド
四方山話
23

菜の花とアサリでインドの春

日本のような折々の変化はないが、インドにも四季はある。北インドの冬は0度近くまで気温が下がる地域もあり、南インドよりもはっきりとした季節の移り変わりを感じる。デリーの1月は、朝晩の冷え込みは厳しいが日中は暖かい。そして北インドの農村地帯に春が来ると、見渡す限り地平線の彼方まで黄色く染まる。黄色い花は菜の花かと思ったら、マスタード（からし菜）の花だった。

種はマスタードシードとして南インドでは欠かせないスパイスであり、種を搾ればマスタードオイルになり、北インドからコルカタにかけては料理に欠かせない油だ。

今回は春をテーマにマスタードの葉の炒めものと日本のアサリのような貝で作るカレーの話を書くことにする。

インド料理の中にサグ・カレーとパラック・カレーがある。ほうれん草のカレーのことだと思っている人が多いのでは。パラックはほうれん草で良いのだが、サグとはアブラナ科の野菜全般をいう。

マスタードの葉をマスタードオイルとクミンやマスタードシード、ターメリックのスパイスで炒め、塩で味を調えチャパティに包んで食べるのが一般家庭での料理法だ。簡単でビタミン豊富な春の一品になる。

私はギーを焼きたてのチャパティにたっぷりと塗り、サグ炒めを包んで食べるのが好きだ。

マスタードはアブラナ科で、原産地は中央アジアから西アジア、地中海沿岸など。日本では奈良時代から、芥子が香辛料として使われていた。アブラナ科の作物とは大根、蕪、みず菜、小松菜、白菜、キャベツ、カリフラワー、ブロッコリー、わさび等がそうだ。私達が今現在食べている野菜の大方はアブラナ科といえるだろうか？　そういえばキュウリもナスもインドが原産地だった。これらの作物が渡来する以前は何を食べていたのだろうか、興味は尽きないが話を戻す。

もう一つの春はアサリ。アサリに似た貝をインド西海岸では良く食べる。昔、貝は不浄の食べ物といわれていたそうで、普通の人は食べなかったという。貝は海の水を浄化することから、汚いものを食べるのが貝だということで、不浄の食べ物といわれていたのだ。

時代は変わり、西海岸の人々は魚介料理の一つとして、アサリや牡蠣の料理をレストランで出すようになる。ゴアの知り合いが良く作るアサリのココナッツカレーは簡単で美味しい。

巻末では、カレーとよく合うレモンライスのレシピもあわせて紹介する。

第4章 インドを巡る

――南インド編――

インド四方山話24

チェンナイの寺町マイラポール

毎年この時期にインドに行く。この時期とは1月～2月頃のこと。2015年は私達夫婦の諸々のスケジュールが合わず、よりによって元旦のフライトになる。主婦の私としてはせめて31日、一歩ゆずるとしても元旦の早朝には旅立ちたかった。夕方のフライトなんて「どうするの、お節料理は！」と一番に考える情けなさだ。まさか元旦の朝にトーストとコーヒーはないでしょうね……縁起でもない。やはり「明けましておめでとうございます」とお屠蘇を頂きながら今年の抱負など語りたいではないか。仕方なく、忙しい合間を縫って31日の1年で一番の混雑をしているデパ地下に行く破目になる。

前置きが長くなったが、12月、1月、2月の中旬頃までが、チェンナイは気候がとても優しい季節なのだ。日中の最高気温も28度位で暑い日でも30度止まり。夜は22度から25度と凌ぎやすく、これが3月に入ると一気に夏になり、最高気温も33度～35度と耐え難い気温になってしまう。

チェンナイの新年はその年に初めて巡って来る新月の日。今年は1月16日が新月にあたり、「明けましておめでとうございます」となる。別段何といってお祝いするわけではなく、3日間の祝日が休日になり、地方からチェンナイに遊びに来る人が増えるだけらしい。

「寺に行かないの？」と聞くと「新年だからといって行くことはないよ。人によっては毎日行くし、ほと

んどの人は週に一度はお参りするよ」との答えが返ってくる。
インドの寺に参る人はその寺の神様を詣でに行く。シヴァ神を祀る寺、ヴィシュヌ神を祀る寺、とても稀だがブラフマー神を祀る寺、この三大神はインドの神様の大本だ。インドの神々の相関図はとても複雑だ。この三大神には妻がいて、その妻は女神になる。有名なガネーシャ神はシヴァ神の息子だ。そして神には化身がいるので、神様の数の多いこと。ご存知だろうが日本の大黒様（シヴァ神）も毘沙門様（ヴィシュヌ神）も梵天様（ブラフマー神）も、他多数の神様はインドから来た神様だ。
話がそれたが、チェンナイにマイラポールという古い寺町があり、昔は寺院都市といわれていた。古くはローマ、中国などとの海の通航の拠点となっていた港町でマドラス（チェンナイ）の旧市街地をマイラポールとその当時から呼んでいる。
この歴史の深いマイラポールに、カパレーシュワラ寺院という２０００年以上の歴史を持つシヴァ派（シヴァ神を祀る）の大寺院がある。この寺院の至るところに、孔雀の彫り物が施されているのだが、マイラとはタミル語で孔雀の意味であり、ポールは町。シヴァ神の妻パールヴァティー女神の化身は孔雀。昔は孔雀がゆうゆうと寺の中を歩く姿が寺の名物になっていたらしい。寺の門前にはお供え用の花輪を作っている屋台、ゴザを敷いてオイルランプ用の素焼きの小さなカップを売るおばさん、笹の葉で包んだ供え物（氷砂糖、ビンロージュの実、ナッツなど）の店などが建ち並びごった返している。ジャスミンの花で花輪を作っているおばさんに靴を預け裸足になり、寺の大きな門を入ると、威厳のあるシヴァ神の像とシヴァ神の乗り物でもある牡牛のナンディが迎えてくれる。寺に一歩入ると表の喧騒が嘘のような静けさになる。門をくぐっただけで動が静になってしまう不思議さ、これがインドだといつも思う。

寺院に来る楽しみはまだある。寺院の厨房で作られた、蓮の葉に包んで売られているタマリンドライスだ。タマリンドはマメ科の植物で、酸味を出すのに使われる南インド料理には無くてはならない食材。境内に座り、塔に彫られた孔雀や神様、お参りに来ている人々を眺めながら食べるタマリンドライスは格別の味である。神様の下さる幸せかも。

インド四方山話25

インドのフランス・ポンディシェリー

「ボンジュールムッシュ！」とインド人のおじいさんが主人に声をかけながら立ち止まる。

「サフェロントン～」とまたフランス語で話し続ける。

主人に聞く「なんて言っているの？」

「久しぶりだね？って言われた。僕はこの人を知らないけれどね……」

ポンディシェリーの街角で。ここポンディシェリーは、チェンナイから車で海岸線を2時間ほど南に下がったところに位置する連邦政府・直轄地の首府。ゴアがポルトガルの植民地であったように、ポンディシェリーはフランスの植民地だった。チェンナイもそうだが、この地もフランスからオランダへ、そしてイギリスからまたフランスが支配するという歴史を経て、１９５４年インドに返還される。タミル・ナードゥ州の中に飛び地のように点在するこの直轄地の公用語にまだフランス語があるように、この街はフランスの面影が今でも色濃く残っている。フランスの支配の下、街は二つに分けられる。フランス人地区の白い街（ヴィル・ブランシュ）とインド人地区の黒い街（ヴィル・ノワール）。

その最も象徴的なのが白い街のフレンチクォーターと呼ばれている地区だ。街の標識はフランス語で、当然通りの名はフランス名であるし、学校と思われる建物にはLycee Francais（リセ）と表示され、校門

にはフランスの国旗が掲げられている。建ち並ぶ家々はオレンジ色や黄色、薄いピンク色に塗られ、お菓子のように可愛く、人目を引く。政府機関の建物だろうか、大円柱がある大きな白亜の建造物はフランスの統治時代を今でも偲ばせている。ここにもフランスの国旗が。

私達夫婦はこのフレンチクォーターにあるPalais de Maheという統治時代の豪邸を改装した気品のあるブティックホテルに宿泊する。3階建ての建物は、中庭に面して吹きぬけた幅の広いテラスと廊下が開放された空間を作り、また中庭には4レーン程の幅しかないプールが建物と同じ長さで作られている。敷地いっぱいの大きさに建てられているが、狭さを感じさせない素敵な小さいホテルになっている。壁の色は薄いオレンジ色で枠取は白の上品な色使い。

テラス・廊下に置かれている椅子に腰掛け、空を見上げ、吹き抜ける風を肌に感じつつ、統治時代そのままに放置されている隣の建物を眺めて感じる心持ちは複雑だが、今はポンディシェリーという街がこの風景、街並み、歴史を大切にしながら観光客を呼んでいるのだ。

街並みも素晴らしいが、ポンディシェリーの料理も紹介しなくてはならない。フランス統治の歴史が長かっただけに、料理にも影響が色濃く残っている。フランス料理とインド料理が程よく調和した独自の食文化を育成したようだ。

例えば、ポークカツレツはパン粉にフェンネルとフレークチリをまぶしてバターで焼き、マスタードとインドの蜂蜜で作ったソースが添えられている。程良い香りと2種類の辛さに、ひかえめな甘さがサックリとした衣とジューシーな肉にとても良く合って美味しい。フランス得意のロティサリー（鶏の丸焼き）もスパイスをたっぷりまぶして焼く。皮はパリッと、引き締まった肉はしっとりと、付け合せのベイクドポテトは鶏を焼く時に滴り落ちるスパイスの効いた肉汁がジワーッと浸みており、「旨い」の一言。シーフードスパゲッティにはサフランのクリームソース。バジルソースに黒胡椒がとても合うこともここで知る。

そしてポンディシェリーといえば革命家であり、哲学者、宗教家でもあるオーロビンド・ゴーシュという偉大な人物を紹介しなくては。彼の思想が今現在も引き継がれ世界中の人々を魅了している話をいつか書いてみたい。

インド四方山話26

マドゥライのミーナクシ寺院①

マドゥライは南インドのタミル・ナードゥ州の中南部に位置し、商業中心地でもある。歴史は古く、紀元前3世紀頃に起きたパーンディヤ朝の都として栄え、インド洋交易圏の中心だったことでローマ人の居留地でもあったという歴史のある古都だ。

マドゥライを訪れるのは2回目だ。一度目は初めてインドを訪れた時のことだ。チェンナイからマドゥライを経由して避暑地のコダイカナルに行く時だった。一晩マドゥライのホテルに泊まったのだが、私は初めてのインドだったせいか、かなり疲労していた。そこにチェンナイよりもっと暑い地に来たので疲労もピークに。そして止せばいいのに、魚カレーを食べてしまいその結果が食あたり。熱は出るわ、下痢はするわで、ホテルでドクターを呼び、薬をもらい2日ほど寝込むという苦い経験がある。

インド人の知人に言わせると「チェンナイよりも暑い、それも内陸で何故魚カレーを食べるのだ！　不注意です」。勉強になりました。

この地が有名なのは古い歴史だけではなく、南インドのヒンドゥー教の聖地である偉大なミーナクシ（ミーナクシ・アイマン）寺院があるからだ。前回は寝込んで見られなかったこの寺院を、今回は是非とも見なくてはならない。前回のことを知っているインド人の友がミーナクシの僧侶に案内を頼んでくれた。とい

うのも外国人は奥の院には入れないからだ。

「せっかく来たのだから、奥の院のご本尊までお連れしますよ」とマドゥライの知人。僧侶は寺院の入口で迎えてくれた。

ミーナクシ寺院は信者で溢れかえっている。入口で靴を預け、荷物のチェック受け、いよいよ寺に入る。長い列が出来ているが、僧侶に伴われ列とは関係なく中に入っていく。

この寺院は広大な敷地に、ヒンドゥーの神々を彫った色鮮やかな14基の塔門（ゴプラム）で囲まれている。一番高い塔が60ｍほどだという。寺の建造は15～17世紀。南インドはドラヴィダ文化だ。その中心地がここマドゥライ。寺の建築様式も南インド様式だ。世界遺産に登録されていないと聞いて「どうして？」と思ったが、ある人に言わせると世界遺産の枠では捉えきれないのだろうと。

「だって生きているからね、この寺は！」と言うではないか。この極彩色も十数年前にはなかったという。

「ということは最近色鮮やかに塗ったのですか？」

僧侶もはっきりとは分からないみたいだ。

「どうしてなのか、ある時から、そこかしこ、極彩色に塗られていったのです。ここは神様の住まいですから神様が望んだのでは」

「そうなのですか……」強烈な寺だ。

僧侶の案内でまずスンダレシュワラ神（シヴァ神）を祀った本堂に行く。本堂に入るにも凄い行列が出来ている。夕方とはいえ外は40度を越える気温だ。石造りの寺の中は人の熱気で蒸し風呂のような状態だ。タラタラと額から汗が滴り落ちている状態で、まだ私達は本尊まで並ばなくても良かったというだけありがたい。違う、私達は僧侶の案内がなければ並ぶことも許されなかったのだ。本尊まで暗く広く長い空間に置かれた、無数の群像彫刻に圧倒され、薄暗いロウソクの明かりに映し出される極彩色の天井画の美しさに息を呑みながら歩く。話は次回に続く。

インド四方山話27

マドゥライのミーナクシ寺院②

広大な敷地に建てられたミーナクシ寺院。ミーナクシ女神と夫であるシヴァ神（マドゥライではスンダレシュワラ神）の二人の神を祀った二つの神殿から成り立っているのがこの寺院だ。

南インドはインダス文明を築いたといわれるドラヴィダ語族のドラヴィダ人の地だ。西北からのアーリア人の侵入で、インド全域に住んでいたドラヴィダ人は南に追い込まれたのだ。ドラヴィダ文化及び信仰世界の神々はこの南インドで強い力を持っている。その頂点に立っているのが、ミーナクシだ。どうしてシヴァと結婚することになったのかというと、北のヒンドゥーイズムと同化させるべきと北インドのバラモン達が奮起したそうだ。

タミル語の古い文献によるとパーンディア王朝の王マラヤドヴァンジャンと王妃は神からの子供を授かりたいと苦行を行った。すると、王妃が崇拝しているパールヴァティー（シヴァの妻）が夢に現れ「私があなたの娘として生まれよう」と言ったとか。聖火の中から三歳の女の子が出現する。その子には三つの乳房があった。だが神のお告げで三つ目の乳房は、将来結婚する相手とめぐり合った時に消えると告げられる。その娘はタダタガイと名付けられ、戦いの好きな娘となり、軍隊を率いて戦いを続けながら北に進む。最後はヒマラヤのシヴァが住んでいるカイラーサ山に迫る。カイラーサから降りてきたシヴァと顔を

合わせた瞬間に三つ目の乳房は消える。シヴァを伴ってマドゥライに戻り盛大な結婚式をあげた。二人で都の統治を行い、人間としての寿命が尽きた後は、ミーナクシとスンダレシュワラ神に変じてマドゥライの守護神となる。

ミーナクシとは「魚の眼」を意味する。魚のように何時も眼を閉じないで見開いた眼で見守ると解釈されている。このような神話なのか、民話なのか分からない話が盛り沢山あるのも、インドの楽しい一面だ。

寺院参拝に話を戻す。スンダレシュワラ神を拝み、僧侶に祈祷までして頂きその上、ご本尊の傍の通路で「瞑想をなさりたければどうぞなさって下さい」とまで言われる。瞑想歴40年の主人と3年前から始めた私は素直にさせていただく。知人は人の熱気と暑さにやられたから座りたいと言い、座り込んだ。神の傍での15分ほどの瞑想は良い思い出になる。

「ではミーナクシの神殿に参りましょう」と僧侶。極彩色の絵が描かれている高い天井。通路の両脇には神々のレリーフが深く彫られ、天井まで届く高く太い石の柱が連なっている。そのところどころに石で彫られた神を祀った祠があり、信者は御供物を添えて祈りを奉げている。大勢の信者達は皆静かにミーナクシを拝んでいる。オウムを肩においた女神と対面するが、凄い混みようでほんの数秒しか留まることは出来なかった。

神殿の外には赤と白で彩られた大きな沐浴場がある。その真ん中に黄金色の蓮が置かれている。信者達はここに来てようやく一息つくことが出来る。あの熱気と暑さからほんの少し開放される。私達の無我夢中の拝観劇もここで終わる。とにかく規格はずれの大きさと、ど派手な色彩と熱気に、これほどまでに圧倒される寺院は初めてだった。インドの凄さをまた覗いたようだ。

インド四方山話28

チェンナイのいいところ①

初めてのインド訪問はチェンナイから始まった。それは２００７年のことだ。どうしてチェンナイなのかは何度も書いているが、主人の家があるからだ。だからといって主人がここで生まれたわけではなく、彼は東京生まれの東京育ち。彼の父の家がチェンナイにあり、その家を私達夫婦が滞在の拠点として使っている。ここは歴史の古い街で1世紀頃から都市だったらしいが、チェンナイと呼ぶようになったのは16世紀に入ってからという。インド南東部に位置し、ベンガル湾に面しているタミル・ナードゥ州の州都だ。『味覚春秋』にインド四方山話を書き出して早8年目に入ったが、チェンナイのことは何かしら書いてはいるものの主題に取り上げていないことに気が付いた。今回は豊かな歴史を持つこの街のことを書いてみることにする。

昔々の話はさておき、１５２３年にポルトガルがこの地で、日本でもおなじみのサントメと名の付いた教会を建てる。サントメとはキリスト12使徒の一人、聖トーマスのことで、この聖トーマスはインドで宣教した後この地で殉教。海岸沿いのコロマンデル地方をサントメと呼ぶようになる。

何故、サントメという言葉が日本でなじみがあるのか。江戸時代中期に、インドからの渡来物である縞柄の着物が大名に好まれ、それらは町人にまで広がり流行りものになる。その縞柄の綿生地はサントメか

らの舶来品だった。細い綿糸を2本より合わせた双子糸で平織りすることで、綿なのに絹のような輝きと風合いを持つ大変手の込んだ織物。最初の頃は「桟留（さんとめ）」と呼ばれていたが、国産化するようになると「唐桟縞（とうざんじま）」と名を変える。ということで私達には聞き覚えのある言葉なのだ。

その後、1640年に英国東インド会社がセント・ジョージ要塞兼交易所の建設を始め、この地方をマドラスと改名。ここを中心に市街地がだんだんと大きく広がっていく。現在この要塞は博物館になっており、1階には軍服や刀剣などが展示されている。1年中暑く湿気のあるチェンナイで、この軍服をよく着ていたものだと感心したことを思い出す。2階にはとても大きな肖像画が何枚も掛けられている。男も女も英国と同じ正装で勲章をつけている絵だ。鈍い動きの天井扇風機がゆらゆらと動いてはいるが見学している私達も暑い。当時はインド人の召使いが大きな扇子で風を送っていたのだろうか。

英国の威信をかけ、母国と同じ服装をしている彼らを見て、インド人はどう思ったのだろうと頭をよぎる。暑さに耐えられず、3階には行かずに博物館を後にする。

このサントメ地区に、名の由来となった聖トーマスの殉教場所の上に建てられた真っ白なゴシック建築の大聖堂セント・トーマス・カテドラル——地元の人はサントメ大聖堂と呼んでいる——が建っている。教会の中は静寂に包まれ、外の暑さが嘘のように感じられる涼やかな空間が心地よい。私の好きな場所の一つだ。

サントメ地区の隣にあるマイラポール地区には、極彩色の塔が目印のカパレーシュワラ寺院がある。このヒンドゥー教寺院も静けさと線香の香りに包まれた気持ちの安らぐ場所だ。暑さと街の喧騒に疲れた時、この境内の木陰が、安らぎを与えてくれる。話は次回に続く。

インド四方山話29

チェンナイのいいところ②

チェンナイは自然豊かな大都市だ。自然が豊かなことを表す場所として、都市型の海岸として世界で２番目に長く美しいマリーナビーチや、上皇さまが天皇の時に訪れ、市民と交流したギンディー国立公園が、チェンナイ国際空港と市街地の間にある。

それに加えて、たくさんの木々や珍しい植物、草花に囲まれた広大な敷地を持つ神智学協会がある。主人の家のすぐ近所、歩いて数分の場所にあるので、朝や夕暮れ前に木々の香りに包まれながら散歩をする。

１８７５年に、ニューヨークで神智学協会が設立される。設立者はロシア人のブラヴァツキー夫人、米国人のヘンリー・スティール・オルコット大佐と弁護士のウィリアム・クアン・ジャッジの３人。設立当初は神秘思想団体だったらしい。しかしその後は仏教、ヒンドゥー教など、東洋の思想を西洋に普及することが目的となる。初期の神智学協会の参加者には、トマス・エジソンや、神智学という言葉を提案したフリーメイソンのチャールズ・サザラン、南北戦争で北軍の将軍だったアブナー・ダブルディなど著名な人達が沢山いた。その後、英国神智学協会も作られ、ブラヴァツキー夫人とオルコット大佐はインドのボンベイ（ムンバイ）に渡り活動を始める。そして１８８２年、マドラス（チェンナイ）のアディヤール地区に神智学協会本部を設立する。現在の神智学協会はいくつかに分裂しているが、アディヤール派は約70ヵ

国に支部が存在し、日本にもあるそうだ。

昔は誰でも自由にこの敷地内に入れたのだが、いつの頃からか神智学協会のメンバーでなければ入れなくなった。仕方なく主人はメンバーになり、今まで通り私も自由に入ることが出来るようにしてくれた。

この広大な敷地の中には、協会本部の建物、図書館、資料館、また神智学の言葉の提案者がフリーメイソンだったことから、フリーメイソンのアディヤールロッジ、そして研究者のための緑に囲まれた宿泊コテージと食堂がある。コテージは一軒家もあれば、2階建てのアパートメントなどもある。滞在する研究者は、この広い敷地内を自転車で移動している。夕暮れ時に散歩に行くと、美味しそうな匂いが何処からともなく漂い、昼間は感じない人の気配があり、ここで人々が生活していることが分かるのだ。

朝、夕の散歩時にもなると、協会の駐車場は自家用車で埋まる。各車には運転手がおり、運転手同士の輪ができて話が盛り上がっている様子が楽しそう。そう、ここのメンバーはお金持ちが多いみたいだ。散歩をしている女性は大体太めのおばさまで、パンジャビスーツを着ている。男性は膝までの白いパンツに、糊のきいたポロシャツが定番だ。女性はダイエットのための早歩き、男性は体力維持が散歩目的のようだ。

私はこの森の中の小道を歩き、とても大きいバニヤンツリーを眺め、季節になれば咲き乱れる色々な花の香りを愛でることが出来るこの場所が好きだ。歩いてはボーッとベンチに腰掛け、ビーチに出ては座り込み、この静けさを思い切り楽しむ。そして東海岸なので海から昇るオレンジ色に輝く大きい太陽を見る朝は、それは素晴らしい一日の始まりになるのだ。

大都市チェンナイには、喧騒から逃れられる、豊かな緑と大海原がすぐ隣にある。

インド四方山話30

避暑地コダイカナル①

インドには英国に統治されていた時代に、英国人が切り開いた避暑地が多くある。最も有名な避暑地といえば、1865年にインド帝国（英国政府が直接統治した植民地インドの呼称）当時の首都カルカッタから、「夏の首都」として夏の間だけ首都機能を移したシムラだと思う。シムラはインド北部ヒマーチャル・プラデーシュ州の州都で、標高約2200mのヒマラヤ山脈の麓にある。この大移動のために開通したのが、鉄道世界遺産にも登録されているカルカ・シムラ鉄道だ。夏のインドの暑さは英国人やヨーロッパ人には耐えがたいものがあったのだろう。夏場のカルカッタ（コルカタ）では日常生活が送れないと家族揃って大移動。シムラに庁舎、劇場、学校、病院と、生活するために必要な全ての施設を建てる。その当時の英国の力が分かるというものだ。

シムラはインドの北部だが、南インドのタミル・ナードゥ州・ディンディガル地区にあるコダイカナルも、「森の贈り物」または「避暑地の女王」と呼ばれる有名な高原の避暑地だ。私達夫婦は、チェンナイから南へ463㎞のマドゥライまで飛行機で移動し、マドゥライからコダイカナルには車で向かう。厳しい暑さから逃れ、高原のコダイカナルの涼しさにホッと一息。しかし夕暮れ近くなると、ホッと一息どころか肌寒くなりセーターを着込むことになる。

私達が宿泊したのはザ・カールトンホテル。ホテルの裏手にコダイカナル・インターナショナルスクールがある。この寄宿学校の設立は１９０１年と古く、南インド在留宣教師の子供達のために創設された学校だと聞く。この学校に子供を通わせるために建てた別荘が、ホテルのメインの建物なのだ。

主人がチェックインの時に「子供さんの入学式ですか？」と尋ねられる。ちょうど入学式とぶつかったらしい。

「いいえ、観光ですよ」と答えると「親御さんには特別プライスがあるのでお聞きしたのです」と言う。

英国建築のホテルの重厚なロビー。外壁を組んでいる石と同じ石材で作られた一面の壁や柱。大きく切り取られた窓からはコダイカナル湖が夕日を浴びてキラキラと光を放っている。ロビーの中央には大きな囲炉裏のような暖炉がどんと構えていて、夕暮れになると火が入りその周りを囲んだソファーに宿泊客がちらほらと集まりだす。暖炉の傍には大ぶりの籠の中に入っているマシュマロ、その脇に50～60㎝に折られた枝が何本も束ねて置いてある。

「枝の先にマシュマロを刺して暖炉の火で焼いてね！」と一言添えら

れていて、子供達は楽しそうに焼いている。大人達もロビーの奥にあるバーから持ってきたお酒の入ったグラスを片手に、子供達と一緒にマシュマロを焼いて食べている。子供達は入学式と、休みが終わり戻ってきた生徒達。そしてその付き添いの親達なのだ。

インド人親子もいれば、ヨーロッパ、アメリカ、アジア人など、多国籍人種が集まっているこのホテル。インドとは思えない雰囲気を奇妙に感じていた時、どこからともなくスパイスの良い匂いがして、インド料理の香りが部屋中に漂い出す。ロビーでのんびりしていた親子達も美味しそうな匂いに釣られてレストランへと、にぎやかな移動が始まる。話は次回に続く。

インド四方山話31

避暑地コダイカナル②

スパイスの香りに誘われ、私達夫婦はダイニングルームに行く。今日の夕食はビュッフェで、真ん中に設えられた大きなテーブルに、色とりどりの料理がこれでもかというぐらい並べられている。

親子連れで満席のテーブルの賑やかなこと。明日の入学式が終われば、親達はここを去っていくのだ。寂しさをこらえた一年生と思われる子供がぐずりだす。「６歳か７歳での寮生活は辛いだろうね」と私はつぶやく。それに比べて中学生や高校生は、食事中でもゲーム機を離さない子、席を立ち友達とおしゃべりを始める女の子。親に注意をされ仕方なく食事に戻る。そんな光景を眺めながら「明日は静かになりますよね……」と、私達の落ち着かない食事が終わる。

翌朝はコダイカナルを巡る遠足に参加する。インドの友達に言わせると、コダイカナルはハネムーンに人気が高いとか。

「まず涼しいでしょう。山に囲まれて、人工湖とはいえ湖があって、その周りに段々状にある樹々の豊かな村、咲きこぼれる高原の花々、自然に囲まれたリゾートなのよ」というわけだ。

山の中腹で「休憩しましょう」と声がかかり、バスから外に出る。するとハネムーンのカップルが、手をつないで山の斜面を駆け下りていった。一気に駆け下りることが出来るほど、山の手入れは行き届いて

いる。それを見ていたインド人達が声を上げる。

「彼らはここで映画撮影があったことを知っているね！　その映画の一場面みたいに駆け下りていったよ」

「なるほど、あの新婚さんは映画のヒロインになっているのね」と話が弾む。

「コダイカナルに着いたら是非行っておいでよ」と言われたコーカーズウオークを歩く。山の斜面に沿って造られた1㎞のハイキングコースは、高原の花々が咲きこぼれ、峡谷には霧がかかりまるで雲上にいるようだ。道端には観光客相手の土産物の露店がぽつぽつと出ていて、私達ものぞいてみる。

可愛いホテルが数軒建っていている。花が咲き乱れている庭を持つプチホテルで休憩する。峡谷にせり出すような庭で飲むコーヒーの美味しいこと。コダイカナルにはコーヒーのプランテーションがある。インドはコーヒー豆の生産量が世界8位と、有数のコーヒー豆生産国なのだ。

遠足の最後はコダイカナル湖の散策。この湖は、1863年頃にマドゥライ（ここから山を登りコダイカナルに入る）の税務官のサー・ヴィア・ヘンリーが、小さな池を湖にまで造り上げるのに尽力したそうだ。今では観光名所となり、ボートを漕ぐ人達も多い。また湖の周りには私達が泊まっているホテルや別荘、そしてサティヤ・サイ・ババ――私達がコダイカナルに行った時は存命中だった――の別荘もある。

「世界中から多くの信者がここを訪れるのです。日本人もいますよ」とガイドが言う。

「何をしに来るのですか」と聞くと「敷地の中にアシュラム（僧院）があるのでそこに行くのでしょう。サイ・ババがいるとは限らないのですが」

その日の夕食は初めての体験で、町のチベット食堂に行く。コダイカナルではチベット人を多く見かける。チベットと同じ高原なので住みやすいそうだ。チベット風餃子のモモ、肉が入った揚げ餃子風シャバレ、煮込みきしめん風のトゥクパ。にぎやかな隣の席は、寄宿舎を抜け出してきた数人の高校生が食事をしている。広いインドの一夜を楽しんだ。

インド四方山話32

ニルギリ山岳鉄道に乗る

２０１９年1月。田園調布でインド紅茶の輸入及び販売をしているTeej（ティージュ）のマダムと組んでツアーを行った。ツアーといっても11人の個人ツアーだ。主人の知人のカプール氏に旅行の行程、宿、交通手段、食事など全てをお願いする。カプール氏は日本で初めてのインドに関するＴＶコーディネーターだ。「世界の車窓」からインド編、ＮＨＫ「インドの衝撃」、五木寛之氏の「仏教への旅インド編」、遠藤周作『深い河』も彼のコーディネート作品だ。前作『おいしい暮らし　北インド編』に書いたが、私達夫婦は、ラジャスタン州のタール砂漠を巡る旅や、五木寛之氏と同じくブッダを巡る旅など、個人ツアーを組んでもらっていた。彼に任せれば素人の私のツアーでもうまくいくと思い頼んだのだ。結果は素晴らしい旅になり、参加者の皆にも大いに喜んでいただいた。

今回のツアーは「インドの紅茶、ワイン、グルメを巡る旅」と名付けて行い、茶園はティージュの紅茶仕入先の一つのニルギリに行く。ニルギリとはタミル・ナードゥ州に位置する西ガーツ山脈の一部のニルギリ山地のことで、インド三大紅茶生産地の一つだ。有名なダージリン、アッサムそしてニルギリだ。そのニルギリの茶葉を運ぶ鉄道がニルギリ山岳鉄道で、１８４５年頃英国人によって敷設が行われ１８９９年にマドラス鉄道会社の運行になり、２００５年に世界遺産に登録される。

私達はウーティという町――ニルギリ山の頂上付近の町で避暑地として英国人が開発した――に泊まっていた。鉄道はウーティのウダガマンダラム駅からメットゥパラヤム駅までの全長45・88㎞。目指す最高地点が２２００ｍ超。蒸気機関車で動かしている。上りは蒸気機関車を最後尾に連結し押し上げて上り、下りは先頭で走る。全長を乗る時間の余裕がない私達は、途中のクーヌール駅からの下り列車に乗車する。車両は1等車両と2等車両に分かれており、1等車両に乗る。車両といっても、8人乗りで4人がけのベンチシートが向かい合わせになっているのが1等車両だ。とても可愛い車両に英国人夫妻とそのガイド、私達3人が乗車する。

山を下るので先頭に蒸気機関車が連結される。私達の車両は最後尾だが、機関士一人が連結するスペースに乗り、何かレバーを動かしている。クーヌールからの景色が素晴らしいと事前に聞いていた。広がる茶畑の景色を眺めながらカーブが来ると、先頭の蒸気機関車を写そうと窓から体を乗り出し写真を撮る。右側に景色、左側にも景色と目に鮮やかな緑が続く。

英国人のご主人が「こっちに来なさい、美しいよ！　替わりましょう」と声をかけてくれたのを合図に、私達は互いに席を替えながら、皆が共に美しい風景が撮れる様に和気藹々と列車の旅を楽しむ。

一面に広がる茶畑は広大で茶葉の緑が目にまぶしく、果樹園、スパイス農園など変わる景色を眺め、険しい山の峡谷に差し掛かると、皆で歓声を上げこの頼りない列車を楽しむ。山が両脇に迫ると、削られた山肌に手を出したくなるのを我慢する。それほどにスピードが出ていないのだ。緑の濃い山々と別れると迎えてくれたのがヤシ農園。ヤシの林が現れてきた頃から山の冷気は去っており南国の空気が漂い始める。2時間におよぶ山岳鉄道も無事終着駅に着いた。旅はまだ続く。

インド四方山話33

ニルギリの茶園

茶畑の緑が目に眩しい。南インドにある最高峰２６３７ｍのニルギリ山地、その２０００ｍ辺りに位置する５００エーカーのカイルベッタ茶園に私達はいる。長年に渡りインドに来ているが茶園を訪れるのは初めてだ。

知人で、お茶を扱っているティージュのオーナー夫妻と一緒に、この茶園見学をする。チェンナイの我が家で飲むのは決まってコーヒーで、インドで紅茶を飲む機会はほとんどない。もちろんチャイは街角にある屋台で飲むことはあるのだが。

一面の茶畑を見渡しながら、ジャカランダの花が咲き誇るガーデンで紅茶が振る舞われる。一杯目は、今年１月に摘んだ茶葉のウインターフロスト。これはニルギリ紅茶の最高級品で、ほんのりとした色合いの紅茶。紅色ではなくうっすら色がついている程度だが、柑橘の淡い香りが美味しい紅茶だ。二杯目は、初夏に摘んだ茶葉の紅茶で鮮やかな紅色。フルーティな香りは、出されたバタークッキーの味をより美味しく感じさせる。

紅茶の製法には、オーソドックス製法とアンオーソドックス製法（ＣＴＣ製法）がある。この茶園はインドでは珍しいオーソドックス製法のみで作っている。この製法は中国清の時代からの製法で、茶摘み（若

葉の一芯二葉、三葉）、そして萎凋（葉をしおれさせる工程）をして葉を柔らかくする。次に揉捻（葉を揉む）することで組織細胞を破壊して、葉中の酸化酵素を含んだ汁液が空気に触れ酸化発酵が始まる。揉捻で塊になった茶葉を玉解き・篩い分け（茶葉をほぐし、ローターパンにかけて茶葉を圧縮、切断し細かく砕く）し、それから発酵させる。ここで紅茶特有の香味が生まれ、緑色だった茶葉は黄色、赤色、そして鮮やかな濃褐色に変化する。最後に熱風で乾燥させる。この一連の作業を見学させていただいた。紅茶といわれるまでに、こんなに手間隙をかけていることを初めて知った。

「ちょっとした手違いで茶葉が台無しになるので、気が抜けない作業ですよ」と工場の責任者は言っている。

インドの紅茶の80%はアンオーソドックス製法で作られる。インド人の好きなチャイの茶葉もそうだ。ティーバッグの需要が拡大するにつれて、濃厚な紅茶が早く出るブロークンスタイルのアンオーソドックス製法が主流になったそうだ。

工場見学の後、アフタヌーン・ティーの席を作っていただく。西洋の焼き菓子、インドの菓子（甘い揚げ菓子、塩味の揚げ菓子、生菓子）、サモサ、ポテトと茶葉のバジャ（ヒヨコマメの粉で衣を作り、揚げたもの）などがテーブルに並べられている。

「紅茶とサモサって意外に合うのね」

「インドのお菓子は甘いから、ストレートの紅茶の方がチャイより合うみたい」

「ストレートの紅茶がスパイシーな料理に合うなんて、なんだか新発見したようね」などと会話が弾む。

街のスイーツショップでもチャイとサモサは当たり前に皆が食べる。だが英国式のカップ＆ソーサで振る舞われると、同じサモサなのに上品に思えるのがまた可笑しい。植民地時代のインドでは、英国人達がアフタヌーン・ティーにサモサやインド菓子を楽しんでいたのだろうと思いを馳せる。

こうして、私達のニルギリ茶園での優雅な茶会は終わった。

インド四方山話34

ワイナリーを訪れて

インドワインといっても日本ではあまり知られていないが、ヨーロッパでは結構人気がある。驚くことに、インドワインの歴史は紀元前4世紀頃までさかのぼる。ペルシャの商人が葡萄を持ち込み栽培を始めたと、古代インドの聖典リグ・ヴェーダに書かれている。ワインの生産が盛んになったのは、ポルトガルとイギリスの植民地時代だそうだ。その後、インドの独立を機に禁酒の法律ができ、複数の州が禁酒になる。葡萄畑は食用の葡萄やレーズンの生産に転換することを奨励された。そしてインド経済復活から、ワイン産業も見直されるようになっていく。中産階級はアルコール飲料を楽しむことを知り、需要も増えていった。こうした事情からワインの生産量も年々増えている。

今回訪れたのはマハーラーシュトラ州の高原にある町ナシックだ。ムンバイから車で3時間という地の利と、過ごしやすい気候のため、セカンドハウスをここに持っている人も多い高原の町だ。ムンバイに住む主人の友人もここに別荘を持っている。

ナシックはインドで一番のワイン葡萄の生産地で、数多くのワイナリーが集まっているが、その中でも広大な葡萄畑を持ち、インドで一番大きいスラ・ヴィンヤーズ社を訪ねる。出迎えてくれたのは広報室のサミー氏で、最初に会社創設の話を聞く。

「創設は１９９９年で、創設者はラジーブ・サマント氏です。彼は米国スタンフォード大学で経済学を学んだ後、シリコンバレーでファイナンシャルマネジャーとして活躍し、インドに戻ってワイナリーを起業しました。イタリア、フランス、アメリカの名だたるレストランにも認められ、輸出は年を追うごとに拡大しています」と誇らしげに話す。

「俳優のロバート・デニーロさん、映画監督のフランシス・コッポラさんもスラのワインが好きなのです」とも言っている。

「環境保全型農業を推進しているので、有機栽培を目指しています。インドで初めて空調システムも導入しました」

そんな話を聞きながら、「ここで葡萄を搾ります」という設備や、大きなステンレスの発酵用タンク、熟成用タンクが何基も並ぶ場所などを見学する。

「このスペースはヴィンテージ・ワインの熟成場所です。ここで使う樽は木製の樽です。なぜ木の樽を使うのかといいますと、赤ワインの場合は渋みが柔らかくなります。木の香りと相まって風味が複雑にもなります。熟成期間は半年、１年、２年と色々です」と説明してくれる。木の樽が何重にも並べられているこの場所は、ステンレスの大きな樽が並ぶ冷たい感じの場所とは違い、空気に木の香りとワインの香りが混じり合う心地よい空間だった。

「これで工場の見学は終わります。ガーデンレストランでワインの試飲を致しましょう」

インドワインの素晴らしさを私は知っているが、やはりワイナリーで飲むワインは格別だ。一面に広がる濃い緑の葡萄畑を目の前にして飲むワインの味はひときわ美味しく思える。心地良いそよ風を頬に受け、インドの新しい時代を思う。スラのワインだけではなく、インドのワイナリーの質の高さが世界に認められている事実を認識する良い機会になった。

インド四方山話35

アジャンタ窟院とエローラ石窟①

デカン高原西部に数ある仏教洞窟の中で、世界遺産に登録されているアジャンタ窟院遺跡と、仏教、ヒンドゥー教、ジャイナ教の３つの石窟寺院が一堂に会するエローラ石窟遺跡を訪ねた。

ムンバイから北東３３５㎞のオーランガバードまで飛行機に乗る。オーランガバードはアジャンタ遺跡とエローラ遺跡に行く中継点なので、この町のホテルにチェックインする。

モンスーン前なのか蒸し暑く、訪れる時期を間違えたことに気付くがもう遅い。

「今にも雨が降り出しそうよ、行くのは明日にしましょうか」と、この蒸し暑さで雨でも降られたらたまらないと思う私に、

「明日も同じような天気らしいから、今から行きましょう」と元気な主人。

ここは通訳兼任の主人に従うことにする。ホテルでタクシーを頼むと「アジャンタまで１００㎞なので３時間はかかります。今11時ですから帰りは午後7時頃になりますがよろしいですか」と説明を受け、ホテルから出発する。

途中の道沿いは緑が少なく、どちらかというと殺伐とした風景だ。私達の車は、観光案内所、食堂などが入っている建物、その前にお土産の屋台がある広場で止まる。

「ここから先はシャトルバスに乗って洞窟まで行ってください。一般の車はこの先には行けないので私はここでお待ちします」とドライバー。

シャトルバスに乗りあっという間に石窟遺跡の入口に着く。綺麗に整備された公園のようなところを抜け、石の階段を上っていくのだが、一段の高さが急で遺跡に着く前に汗がタラタラと首筋を伝う。石段を上りきると、荒涼とした馬蹄形の岩肌の石窟群が下に見渡せる場所にたどり着く。

一緒のバスに乗ってきたミャンマーの僧侶達が数珠を手にお経を唱えだす。ミャンマーの僧侶は坊主頭ではなく髪の毛がある。綺麗な坊主頭のタイの僧侶達も同じく唱えている。そう、ここは仏教徒にとっての聖地なのだ。

1819年4月頃の話。ハイデラバードの藩王国の時代に、デカン高原西北部の山間地帯でマドラス駐屯のイギリス騎兵隊が演習を行っていた。一人の兵士が非番の時に虎狩りに出かける。村の少年に虎が隠れる場所に案内すると言われ、連れてこられたのが、渓谷を眼下に見下ろすこの断崖の上だったのだ。そこには1000年以上もの間見棄てられていた驚くべき廃墟があった。兵士は夢中でこの洞窟の中を彷徨（さまよ）ったと説明書には書かれている。

　この壮大で壮麗な窟院は、ワーグラー川が馬蹄形に大きく湾曲する谷間の大断崖の岩肌に30もの洞窟が掘ってあり、川の下流から第１窟、第２窟と数えるのだが、紀元前１世紀～紀元後２世紀にかけてと、５世紀後半～６世紀頃にかけての２期に渡って作られたそうだ。

　石の回廊の階段の上り下りを繰り返し、雄大な馬蹄型の岩山を眺め、吹き出る汗と戦いながら、神秘に満ちた渓谷の第１窟に向かう。第１窟の間口は広い。正面の入口で靴を脱ぎ、暗い奥にあるかすかな灯明の光を目指して進む。大きな広間の列柱の装飾の細かさに感嘆し、一面の壁画にため息がでる。一番奥の左廊一面の壁画はブッダの前世の話が描かれているという説明だったが、勉強不足の私には難解な話だった。話は次回に続く。

インド四方山話36

アジャンタ窟院とエローラ石窟②

アジャンタ窟院は未完窟も含め30もの石窟が馬蹄形に並んでいるが、彫られた年代順に並んでいるわけではない。第1窟の目を見張るばかりの壁画に圧倒され、ため息がもれる。その天井を見上げると天井画がまた凄い。水牛が蓮華と戯れているように見える絵や、白い象が蓮華と踊っているように見える絵。もっとよく見ると飛天の男女が見つめ合い、仲睦まじく飛翔している。灯明の薄暗い光の中で、剥げている箇所の多い天井画を見上げているのは、目が疲れるし見るのも大変だ。目を細めると果物があり、鳥もいる。ふざけあっている小人や、人魚のような小人も描かれている。この天井画は楽園を描いたのだろうか、なんだかとても楽しそうに見える。

もっと鑑賞していたかったが、蒸し暑さに負け外に出る。いくらかの風に当たり、吹き出る汗を拭い、生ぬるくなった水を口に含み一息つく。

馬蹄形の回廊の階段を上り下りしながら第2窟に向かい、靴を脱いで入る。ここの天井画、壁画にも優美で可憐な蓮華の花、翼を広げた鳥のような怪獣、飛天などが描かれていて灯明のほの暗い光で眺める。私達は見学に一日しか時間を取っていなかった。前もってもっと勉強をして来るべきだったと悔やまれるが、後悔先に立たず。アジャンタ窟院の全てを見学するのは一日ではとても無理なのだ。これだけは見て

ほしいとガイドが言う第26窟に向かうことにする。その間にある石窟は、残念だが中には入らず、入り口から覗き見するだけにした。
静寂に包まれた空間に圧倒される第26窟。ほのかに外の光が差し込む石窟の中は心地よさも感じる。入口の高い場所に作られた窓から射す光は奥まで届いている。天井は高く、断面半円形に彫られた馬蹄形の中央正面にストゥーパが鎮座。その両脇に整列するように、細かく細工が施された華麗な石柱が、何本も立ち並んでいる姿は荘厳で圧巻だ。その空間で一人の僧が座禅を組み、お経を唱え出した。高さのある石造りの天井に、僧のお経の声が何重にも響き渡り、私の疲れた体を包み込む。そして２０００年前の修業僧達と同じ空間を共有したような気持ちになり、異次元に迷い込んだような感覚に陥ったことを思い出す。
アジャンタ窟院といえば、何はさておき壁画の素晴らしさだと思う。私のつたない言葉では表現すらままならなかったが、第1窟の高い宝冠を被った菩薩像の優美な微笑みのお顔、第2窟の入り口側壁一面に描かれた千仏の表情豊かなお顔も忘れ難いものだった。
暑さとの戦いでもあったが、どうにか馬蹄形の第1窟から最後の第

28窟までを歩き切った。次回はインドの仏教の歴史を踏まえた上で、じっくり時間をかけて見学をしたいと強く思った。

バスに乗り里まで下りて、待っている車でホテルに帰る。里に下りたら、下界のわずらわしさがどっと押し寄せてきた。この湧いたようにいる物売りはどうにかならないのだろうか。

「お願いだからアジャンタ遺跡でタージマハルの置物を売らないで……」と笑いが込み上げる。

明日はエローラ石窟寺院を巡るのだが、エローラは仏教、ヒンドゥー教、ジャイナ教の３つの宗教の石窟寺院でたいそう興味深いものだ。

インド四方山話37

エローラ石窟カイラーサナータ寺院

空港のあるオーランガバードの町からアジャンタ窟院までは、北へ車で3時間ほど。エローラ石窟寺院群は、西へ1時間ほどの距離。オーランガバードはマハーラーシュトラ州にあり、ムンバイから３５０km東に位置する標高６００mの高原の町だ。ここはインド半島の大部分を構成するデカン高原で、主に玄武岩質の溶岩台地からなり、年間降水量も少なく、古代インドの僧達が好んで修行場にしていた。そして玄武岩が彫刻しやすい岩だと知って、洞窟の中に彫刻を造り始めたそうだ。

昨日の夜は、激しく雨が降ったせいか湿度が高い。アジャンタ窟院に行くよりも厳しい条件の中、エローラ石窟に向かうことになる。道のりが近いのだけが救いだ。エローラ石窟は紀元後6世紀から10世紀にかけて造られ、仏教、ヒンドゥー教、ジャイナ教の石窟寺院群がおよそ2kmに渡って一列に並んでいる。仏教の窟院はヴィハーラ窟（僧達の宿坊）とチャイティヤ窟（祠堂）からなる――アジャンタ窟院がそうだった――が、ヒンドゥー教の窟院は神々（シヴァ神やガネーシャ、ヴィシュヌなど）を祀るだけの神殿なのだ。

時間に限りのある私達は、世界で最も素晴らしい建築物の一つといわれる、16窟ヒンドゥー教カイラーサナータ寺院を最初に見学することにする。地上と繋がっている楼門から入ると、シヴァ神の乗り物のナンディを祀る2階建てのナンディ堂が現れる。2階部分が楼門と繋がっており、また寺院本体とも橋で繋

がっている。そこから下を見ると驚愕する。眼下には、岩山を掘り下げて造られた壮大なカイラーサナータ寺院が建っている。

「洞窟を掘るのとは違い、この掘った柱の一本、一本が建物を支えているのよね」とガイドに聞くと「この寺院の高さは約32ｍありますが、石造寺院を建てるより労力と費用を抑えることができます。足場を組んで重い石を積み上げるより、掘り下げる方が楽なのだそうです。ただし正確な図面が必要です。洞窟の中の柱は重量など関係ありませんが、ここの柱は緻密な計算がないと崩れます」と説明される。

掘り下げて造ることが簡単とは思えないが現にここにあり、とてつもなく細かい彫刻が柱や壁に施してある。掘り下げた底、というか地面には広場があり、その周りを囲むように回廊も造られている。ここは岩を彫刻する人間と、掘る作業をする人間との共同作業で造られた。

「大きな石造りの建物は世界にたくさんありますが、地面と繋がる岩を彫刻して造り上げた大伽藍はインドにしかありません」と誇らしげに説明をするガイド。

「誇ってください、もっと誇って良いと思います」と暑さの中大きな声で私は応える。

大きさだけではない。神様や動物、神話の情景が、壁面、軒先、柱と目の届くあらゆるところに、緻密で繊細な彫刻によって埋め尽くされている。この素晴らしい彫刻的建築の見学は最高だった。もちろんアジャンタ窟院見学同様の暑さと、それ以上に回廊の中の蝙蝠（こうもり）の糞の臭気などに耐えなくてはならなかったが、季節を選んで訪れればたいした問題ではないと思う。仏教寺院、ジャイナ教寺院を見学する時間がなかったことは悔やまれるが、インド人は全ての造形芸術の中で石彫芸術を好むことがよくわかった旅だった。

インド四方山話38

マハーバリプラム①

チェンナイに滞在していた昨年（２０１９年）の９月に、主人が親から受け継いだ土地で起きた話だ。その土地はマハーバリプラムという町にある。このマハーバリプラムには、世界遺産に登録された数多くの石窟寺院と石彫寺院、石造寺院、そして岩壁彫刻や奇岩などが海岸沿いに残っている。その世界遺産のど真ん中に、主人が受け継いだ広い土地があるのだから何かと事件が起こる。

マハーバリプラムは、タミル・ナードゥ州カーンチプラム県にある。チェンナイから60㎞、海岸線に沿って南下したところに位置し、美しい砂浜のビーチが果てしなく続いている小さな町だ。ビーチには世界を代表するシェラトンやハイアット、タージなどのリゾートホテルがいくつも建ち並び、小さなコテージや別荘もたくさん建てられているとても素敵な場所なのだ。

主人の所有地は世界遺産の中にあるので建造物を建てることはできず、土地の一部を駐車場にしている。町の役人がこの土地を借り受けたいと申し出てきたのが９月中旬、私達がチェンナイに入った頃だ。

主人の弁護士が「ジェイさん、貸さないとは言えませんが、駐車場の奥の藪を綺麗に刈り取れとも言っています。誰かに潜まれる危険があるからだそうですよ」と言ってきた。

「あんなに広い藪をなぜ僕が刈り取らなくてはいけないの？　お貸ししますからそちらでやって下さい」

と主人は言う。

役人は即答できないらしく、2日後に「全てこちらでやります。その代わり、駐車場の営業は休んでください。それと崩れた壁もこちらで修理します」と返事がきた。

ここで何が起こるのかを弁護士に聞くと「中国の習近平主席とモディ首相の非公式会談を行う場所の候補になっているのです。まだ確定ではありませんが、他にもヴァラナシ（ベナレス）が候補に挙がっています。決まってからでは間に合わないので、もう準備を始めなくてはいけないのでしょう」と言う。

そしてこの話から2日後に「マハーバリプラムに決まりましたよ」と言ってきた。それからが大変な騒ぎになるのだ。

どうしてこの地に決まったかというと、このマハーバリプラムは、6世紀以降東西貿易の拠点として栄えており、その頃から中国との繋がりもあるのだということで、習近平主席がこの地を希望されたのだと聞く。

それは名誉なことで、主人が「工事が始まれば駐車場は休業しますよ。いつからですか」と尋ねると、「明日から始めます」と言うではないか。インドにこんなスピード感があるのかとびっくりしたが、そんなことで驚いてはいられないことが次々と起こる。

本当に次の日から重機が入るというではないか。そして中央政府の担当者が話をしたいというので、主人と弁護士と私の3人で出向いたが、案の定、約束の時間に役人は来ない。だが3台の重機が駐車場に入ってきたのだ。役人は時間を守らないインドだが、重機が時間通りに来たことには驚いた。

そして1時間遅れてきた役人の集団と警察官達。今日は駐車場を営業しているので私が駐車場の集金係を引き受け、駐車場の管理人は、役人達と警察官の世話役になる。私はプラスチックの椅子に腰掛け、その様子を管理人の犬と一緒に眺めながら、駐車場に入って来る車から料金を受け取っている。話は次回に続く。

インド四方山話39

マハーバリプラム②

主人の土地がマハーバリプラム世界遺産の中にあり、色々と問題が起きるという話なのだが、今回はスケールの大きい珍騒動だった。事の発端は、中国の習近平国家主席とインドのモディ首相の非公式会談の場所に、この地が選ばれたことから始まった。

チェンナイから南に約60km、ベンガル湾を臨むようにマハーバリプラムの石造群は建てられている。6世紀から9世紀にかけてのパッラヴァ朝時代に東西貿易の拠点だったこの地は、中国とも縁が深いことから会談の場所に選ばれた。チェンナイからここまでに至るハイウエーには中国の国旗がずらーっと掲げられ、付け焼き刃の道路の補修工事が決まったことから異常事態が始まる。

町に入れば埃と砂が舞う道だらけなのだが、会談の時に使用する道のみ舗装工事が始まるし、前話に書いた通り、主人の敷地に大きな重機が３台入って藪を刈り、ほぼ一日で今まで見えなかった土地の端まで見渡せるようになる。インドでは考えられないスピードで綺麗に整地された我が敷地。この場所に警察、中央政府、中国の各関係者のための大型テント（20m×10m）が３張り建てられた。

町の役人は我が土地の壁を修繕すると言っていたが、修繕ではなく新しい壁を作ると言い出した。「今から新しい壁を作るって間に合うの？」と聞くと「２日で出来ます」と凄い返事が返ってくる。

インドでの物事の進み方は、日本の10倍、20倍は時間がかかるのに「日本人でもここの壁を2日で作り上げるのは難しいと思うのですが」と私と主人は首をかしげる。

工事現場を見に行くと「あ‼　これが人海戦術というものなのですか。これは凄い」

何十人もの日雇い労働者がブロックを積み上げている。彼ら労働者達のスタイルは上半身がシャツで、下はズボンではなく南インド特有のルンギという腰布を巻き、頭にも布を巻きつけている。その格好をした60～70人の労働者が一斉に壁造りに励んでいる光景は凄いものだった。

「これだけの人数がいれば2日で出来上がるのは納得できますね。ただ鉄筋を入れていないけれど大丈夫かな」

「400mはありますよね、もたないでしょうね」

「前の石積み壁の方が一部壊れていてもましではないかな。これが倒れたら大変ですよ、また一つ心配の種ができましたね」と頭が痛い。

そして我が敷地の壁の外の歩道にもタイルが貼られ、驚くほど綺麗になったがこの美しさがいつまで持つのか。悲しいが会談後1週間程度で元の状態に戻るだろう。

石仏群の周りの芝も張り替えられ、壊れていた柵は新しくなり、町の商店の前の道も掃除が行き届きスッキリした。我が敷地には、毎日何十人もの警察官や役人、軍人などで溢れ、道にはパトカーが何十台も駐車している。

私達は会談の日に帰国していたので、その模様をネット配信しているインドのＴＶ中継で見た。家の塀は真っ白に塗られ、インド国旗の色の飾りが施され、歩道のタイルもそれは美しく映っていた。そしてモディ首相が我が家の前で習近平国家主席を出迎え、綺麗になった壁の前で握手をする光景は感慨深かった。

こうして２週間に及ぶ騒動に終止符が打たれた。

インド四方山話40

理想郷オーロヴィル

チェンナイから海岸沿いに150km南下するとオーロヴィルという理想郷がある。気持ちよさに惹かれ私は何度も訪れている。一見近未来的に見えるのだが、空と地の境界線がないような緑あふれる自然の中にある。ここは太古の生活を感じさせてくれる、それは居心地のよい村だ。

村は、ミラ・アルファッサというフランス人女性が1968年から建設を始めた。彼女が心酔し人生を共にしたオーロビンド・ゴーシュの思想と理念に基づいた村を作る。オーロビンドは1872年生まれ。英国のケンブリッジ大学に入学、学業に励みインド政府高等文官の内定を貰っていたがそれを蹴って、インドに戻り反英独立運動家になる。その後、宗教家、また哲学、神秘思想、霊性指導の分野で活躍。インドを治めていた英国から反逆者として追われるが、インドのフランス植民地であったポンディシェリーに逃げ込み、そこにアシュラムを開く。そして彼に憧れフランスからやってきたミラと仕事を共にする。彼は1926年から独居生活に入り、1950年に没するまで人との交わりを断っていた。オーロビンドの訃報は何紙もの新聞で報じられ、ネルー首相も彼の死をとても惜しんだ。追悼式には世界中から6万の人々が集まったという。

国籍、思想、宗教を超えた平和、そしてオーロビンドの言う「意識の高いコミュニティ」の村。この信

条に共感する人々が世界中から集まってくる。もちろん簡単に住民になれるわけではなく、いくつもの審査を通らなくてはならない。現在の住民は３０００人に満たない。赤砂地帯のこの土地に、ベンガル菩提樹など２０００万本の木を植えグリーンベルトになる森を作り、農作物が育つように土地を改良し、村のシンボルでもある黄金色に輝く巨大なドーム、マトリマンディール（瞑想の場所）を苦難の中で建設した。そして空から見ると近未来都市そのものに見えるドームを中心に、銀河に似せた４ゾーンを作る。その中の居住ゾーンに建てられている家はとても個性的だ。住民には建築家やデザイナーなども多く、ここだからこそ出来る自由な発想の家々が建っている。

レストランの食事も私が訪れる目的の一つだ。無農薬野菜の料理は美味で、ベジタリアン、ビーガン向けの料理ももちろんある。パンも噛み応えがあり小麦の味がジュワっと口に広がる。ラザニアの麺も美味しく、トマトソースも素朴で良い。コーヒー豆も当然無農薬だし、ココア、チョコレートも苦みと酸味のバランスが程好い。カカオも無農薬で栽培されている。生カカオがふりかけてある冷たいチョコレートドリンクが最高に美味しい。

レストランだけではなく、ブティックも何軒かある。オーガニックコットンを使った草木染めのシャツやショールにニットなどセンスの良いものが揃う。インドのパンツもチェンナイにはないお洒落なデザインで、海外の人に人気がある。そしてなんといってもオーロヴィルメイドのお線香は最高の香りだ。インドでは珍しいノンケミカルのオーガニックエッセンスから作り香りが優しい。種類も多く白檀をはじめ、ジャスミンやローズ、ココナッツ等々。無添加の石鹸もある。香りはお線香と同じオーガニックエッセンス。蜂蜜、白檀、ココナッツ、ニーム（インドセンダンの葉）、ペパーミントなど、どれも素晴らしい出来になっている。

インド政府やユネスコからも支援を受けているオーロヴィル。二人から始まった人類にとって最善の場所を作る努力は、これからもインドで続いていく。

初出一覧

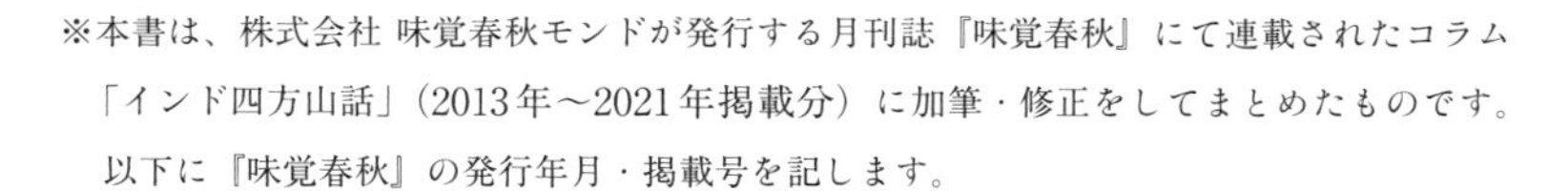

※本書は、株式会社 味覚春秋モンドが発行する月刊誌『味覚春秋』にて連載されたコラム「インド四方山話」(2013年～2021年掲載分)に加筆・修正をしてまとめたものです。以下に『味覚春秋』の発行年月・掲載号を記します。

	第1章　加速する街・ムンバイ		
1	ムンバイ①	2018年11月	548
2	ムンバイ②	2018年12月	549
3	ムンバイのストリートフード	2019年1月	550
4	ムンバイの美味しい料理	2019年7月	556
5	映画「ホテル・ムンバイ」を観て	2019年12月	561
	第2章　変わりゆくインドの姿		
6	インドのホテルもよう・インドのホテルもよう2	2018年5月·6月	542·3
7	サリーについて	2018年8月	545
8	インドの鉄道①	2018年9月	546
9	インドの鉄道②	2018年10月	547
10	ベンガルールの休日	2019年2月	551
11	前衛的インド料理	2020年3月	564
12	インドにコックを探しに①	2018年1月	538
13	インドにコックを探しに②	2018年2月	539
	第3章　地域の味を探して		
14	南インド珈琲	2013年9月	486
15	ゴアの食事	2017年5月	531
16	ゴアの料理	2017年6月	532
17	ポークヴィンダルー	2014年2月	491
18	12月のコーチン	2014年1月	490
19	チェティナード料理	2017年11月	536
20	スープが好き	2017年3月	528
21	ヨーグルト・ライス	2021年8·9月合併	575
22	インドの軽食 ティフィン(Tiffin)の流れ	2017年7月	532
23	菜の花とアサリでインドの春	2018年3月	540
	第4章　インドを巡る―南インド編―		
24	チェンナイの寺町マイラポール	2015年3月	504
25	インドのフランス・ポンディシェリ	2015年4月	505
26	マドゥライのミーナークシ寺院を訪ねて①	2017年9月	534
27	ミーナークシ寺院を訪ねて②	2017年10月	535
28	チェンナイのいいところ①	2020年12月	570
29	チェンナイのいいところ②	2021年1月	571
30	避暑地コダイカナル	2021年4·5月合併	573
31	避暑地コダイカナル②	2021年6·7月合併	574
32	ニルギリの山岳鉄道に乗る	2019年4月	553
33	ニルギリの茶園	2019年5月	554
34	ワイナリーを訪ねて	2019年6月	555
35	アジャンタ窟院とエローラ石窟	2019年9月	558
36	アジャンタ窟院とエローラ石窟②	2019年10月	559
37	エローラ石窟カイラーサ寺院	2019年11月	560
38	マハーバリプラム	2020年1月	562
39	マハーバリプラム②	2020年2月	563
40	理想郷オーロビル	2020年4月	565

あとがき

インドに通い始めた２００７年頃に比べ、いろいろな分野での変化のスピードが速く、行くたびに歩みが遅いインドのイメージが覆る。都市の近代化が急速に進んでいる様子は、『おいしい暮らし　北インド編』のあとがきに書いたが、都市の変化に伴い、食にも変化が起こっている。

インド人はインド料理以外を食べないといわれている。もちろん、海外生活の長い人達や、大都市で生活をしている一部の人は、イタリアン、中華、フレンチ、そして日本食も好んで食べるし、中には牛肉を食べる人もいる。宗教の関係でベジタリアンが多いインド人にとっては、インド料理が安心して食べることのできる料理なのだが、食の変化はこの一般の人達にも押し寄せている。

昔ながらの甘いインドスイーツは老若男女問わず皆大好きだ。だが西洋のお菓子、特に卵を使うケーキなどは敬遠されていた。インドのベジタリアンは卵を食べないからだ。しかし、最近は洋菓子を目にする機会が増えてきた。インドを訪ねだした当初のケーキというものは、５つ星ホテルのコーヒーショップにしかなく、食べたいとは思わないケーキが並んでいた。だが、ここ数年ほど前から、「なんと美しい！」と声がでるほど素晴らしい良質なケーキが、お洒落なショーケースに並べられるようになる。

チョコレートの専門店も開業した。その店で作られたフレッシュチョコレートの繊細なことに感嘆し、店内の喫茶スペースでチョコレートケーキを注文すると、日本の倍以上の大きさにびっくりするが、艶やかな光を放つチョコレートをまとったケーキの美しさに目を奪われる。一口食べると、ネットリとした濃厚な味とかぐわしい香りにまた驚き「ケーキというよりチョコレートそのものに思えるぐらいに美味しいわ！」と声を上げる。「カカオはインド産なのですか」と聞くと「いいえ、インドのカカオはまだまだ生産量が少ないので」と言っているが、近い将来インド産カカオのみで作られたチョコレートショップが出現すると思う。いや、もうすでにあるかもしれない。昔では考えられない洋菓子の急展開に驚くのだ。

都市では、個人経営のレストランが少なくなり、チェーン店が幅を利かせるようになった。出される料理の味が均一化されたように感じているのは、私だけではないと思う。そうかと思えば、ここまで凝りますかというような、前衛的なインド料理の店も出現し、受け入れられている。ひと昔前は北や東インド、南や西インド、その中の各地方で食の違いが鮮明にあったが、近代化に伴い食の違いも薄いものになってきているのは寂しい限りだ。

本編も『北インド編』と同じく、『味覚春秋』で8年の間書き続けているエッセイ「インド四方山話」を一冊の本にまとめた。この話に目を留めてくださり、本として編集、発行してくださった教育評論社には感謝の気持ちでいっぱいだ。特に担当編集の方にアドバイスをいただき、励まされたことが楽しい思い出になっている。

インドという大きな国の、深く長い歴史を背景にインドの姿を知ること、変化するインドを見ることに、私達夫婦の興味はこの先も尽きないだろう。海外に行くこともままならない今、主人と一緒に通い続けたいと願っている。

2021年8月25日

ポークヴィンダルー

Pork Vindaloo

材料（２～３人分）

豚バラ肉ブロック・・・500～550ｇ
塩・・・小さじ２
生姜・・・２片
ニンニク・・・５～６片
タマネギ・・・１/３個　＊マリネ用
ワインビネガー（米酢でも可）
・・・大さじ５～６
（Ａ）ホールスパイス
　クミンシード・・・大さじ１
　クローブ・・・５～６本

（Ｂ）パウダースパイス
　チリパウダー・・・小さじ１
　黒胡椒・・・小さじ１
　カルダモンパウダー・・・小さじ１
　シナモンパウダー・・・小さじ１
　コリアンダーパウダー…小さじ１／２

タマネギ・・・大１個　＊煮込み用
砂糖・・・小さじ３
植物油・・・大さじ４
水・・・1/４カップ（50㎖）＊必要に応じて加減

【豚肉の準備】
・豚バラ肉は３～４cm角に切り、塩を振っておく。
・生姜、ニンニク、タマネギをみじん切りにする。
・（Ａ）ホールスパイスをミキサーでパウダー状にする（すり鉢を使ってすってもよい）。
・ボールに豚肉、生姜、ニンニク、タマネギ、ワインビネガー、パウダーにした（Ａ）と（Ｂ）のスパイスを入れて混ぜ合わせる。ラップをして、冷蔵庫で４時間ぐらい漬け込む。使う前に冷蔵庫から取り出し、常温に戻しておく。

下準備
・煮込み用のタマネギ大１個をみじん切りにして、砂糖をまぶしておく。

作り方
1　鍋に植物油を入れて少し熱くなったところに、砂糖をまぶしたタマネギを

加え褐色になるまでよく炒める。

2　漬け込んだ豚肉を漬けダレごとすべて鍋に入れ、２〜３分ぐらい混ぜ炒める。

3　蓋をして弱火〜中火で30分ほど煮る。ときどき蓋をとって、焦げつかないようにかき混ぜる。水分が足りずに焦げるようであれば、水を足して調整する。５分前ぐらいに蓋をとって、豚肉が柔らかくなっていれば完成。

＊加える水はごく少なくして豚肉とタマネギから出る水分だけの、ドライな仕上がりを目指します。

じゃがいものマサラ

Potato Masala

材料（２〜３人分）

じゃがいも･･･２個
クミンシード･･･小さじ1/2
グリーンチリ･･･１本
生姜･･･１片
ターメリックパウダー･･･小さじ1/2
植物油･･･大さじ２
塩･･･小さじ1/2（お好みで加減）

下準備

・じゃがいもは皮付きのまま、柔らかくなるまでゆでる。ゆであがったら皮をむき、２㎝角に切る。
・グリーンチリは種をとってからみじん切りにする。
・生姜をみじん切りにする。

作り方

1　フライパンに油を入れ、クミンシードを加えて香りが立つまで中火で加熱する。

2　グリーンチリ、生姜、ターメリックパウダー、塩を加え、香りがしてくるまで炒める。

3　じゃがいもを入れて、さっくり混ぜ合わせたら完成。

アサリのココナッツカレー

Goan Clam Curry

材料（２～３人分）

アサリ（砂抜き済）･･･18個ぐらい
タマネギ･･･１個
生姜･･･１片（すりおろし）
ニンニク･･･２片（すりおろし）
グリーンチリ･･･１～２本
（A）パウダースパイス
　ターメリックパウダー･･･小さじ１/２
　クミンパウダー･･･小さじ２
　チリパウダー･･･小さじ１（お好みで加減）
塩･･･小さじ２強（お好みで加減）
ココナッツミルク（缶）･･･１缶（400㎖）
水･･･１/4カップ（50㎖）
ココナッツオイルまたは植物油･･･大さじ４～５

下準備

・タマネギを粗みじん切りする。
・グリーンチリは縦に切れ込みを入れる。

作り方

1　鍋にオイルを入れて火にかける。タマネギを加え褐色になるまで炒めたら、生姜、ニンニク、グリーンチリを順番に入れて、都度混ぜ炒める。
2　（A）のパウダースパイス、塩を加える。よく混ぜてなじませる。
3　ココナッツミルク、水を鍋に入れ、グツグツいい出したらアサリを入れる。
4　アサリの口が開いたら、塩で味を調整する。

レモンライス

Lemon Rice made with Japanese Rice

材料（２～３人分）

炊きたてのご飯(日本米)･･･300ｇ
レモン汁･･･１/２個分(20～25㎖)
ターメリックパウダー･･･１つまみ
無塩バター(有塩でも可)･･･大さじ１～２
塩･･･適量

作り方

1　炊きたてのご飯をボールにうつす。ご飯が熱いうちに、レモン汁、ターメリックパウダー、バターを入れて混ぜ合わせる。

2　黄色のまだら模様になったら、塩で味を調整する。

サーグ炒め

Fried Saag

材料(２～３人分)

小松菜･･･１わ(200g)
＊ホウレン草でも代用できます。
クミンシード･･･小さじ１/２
鷹の爪･･･１～２本
生姜･･･１片
ニンニク･･･２片
トマト･･･１個
(A)パウダースパイス
　ターメリックパウダー･･･小さじ１/３
　コリアンダーパウダー･･･小さじ１/３
塩･･･小さじ１/４
胡椒(白でも黒でも可)････小さじ１/４
植物油･･･大さじ３

下準備

・小松菜をさっとゆがく。**＊ホウレン草を使う場合は下ゆでせずにそのまま使う。**
・トマトは種をとってから粗みじん切りにする。
・生姜、ニンニクはみじん切りにする。

作り方

1　フライパンに植物油を入れ、クミンシードと鷹の爪を入れて中火で加熱する。香りが出てきたら、生姜、ニンニク、トマトを加えて２～３分炒める。

2　（A）を入れてなじんできたら、小松菜を加えて強火でさっと炒める。

3　塩と胡椒で味を調整する。

有沢小枝（ありさわ・さえ）

東京・麹町「アジャンタ」オーナー、アナンダ．Ｊ．ムールティと結婚。インド・チェンナイの家を拠点に、毎年ひと月ほどインド各地の食や文化、歴史遺産、民族工芸、舞踊、アートなどを訪ねるツアーをしている。ブログ「インドのお家ごはん」も好評。月刊『味覚春秋』にて「インド四方山話」を連載中。店では古典舞踊バラタナティヤムのライブも開催している。

純インド料理
アジャンタ
1957年に南インドの家庭料理を提供する店としてオープン。創業以来変わらない味が幅広い年齢層から支持を得ている。南インド料理店の草分け的存在。
〒102-0084　東京都千代田区二番町3-11　TEL 03-3264-6955
https://www.ajanta.com

「アジャンタ」マダムがつづるインド四方山話
おいしい暮らし 南インド編

2021年10月20日　初版第1刷発行

著　者　有沢小枝
発行者　阿部黄瀬
発行所　株式会社 教育評論社
〒103-0001
東京都中央区日本橋小伝馬町1-5 PMO 日本橋江戸通
TEL 03-3664-5851
FAX 03-3664-5816
https://www.kyohyo.co.jp
印刷製本　萩原印刷株式会社

ISBN 978-4-86624-046-6　C0026